ПРИКЛЮЧЕНИЯ КАПИТАНА АЛАТРИСТЕ
Испанская ярость

Arturo Pérez-Reverte

El sol de Breda

Артуро Перес-Реверте
Испанская ярость

Москва

2005

УДК 82(1–87)–3
ББК 84(4Исп)
П27

Arturo PÉREZ-REVERTE
EL SOL DE BREDA

Перевод с испанского *Александра Богдановского*

Художественное оформление
и макет *Андрея Бондаренко*

Перес-Реверте А.
П27   Испанская ярость: Роман / Пер. с исп. А.Богдановского. —
М.: Изд-во Эксмо, 2005. — 240 с.

ISBN 5–699–10685–5

...Тянулась зима с ее унылым и робким светом, туманами и серыми дождями, а мы, одолевая мандраж, добывали фураж и осуществляли грабеж — какие там есть еще французские слова? — на фламандской земле... Овладел я едва ли не в совершенстве множеством полезных навыков — воровал кур, выкапывал из земли съедобные клубни, с ножом к горлу приставал к местным крестьянам... Словом, совершал я в ту пору очень много такого, что вспоминать не хочется и чем гордиться не стоит, но все же пережил сам и помог пережить зиму своим товарищам и стал мужчиной в самом полном значении этого слова.

Иньиго Бальбоа и Диего Алатристе отправляются в Голландию сражаться за Испанию, избегают участия в мятеже, воюют на земле и под землей, умудряются не сдохнуть и попадают на картину Веласкеса и в комедию Кальдерона. Между тем роковая Анхелика имеет на Иньиго виды.

«Испанская ярость» — третья книга историко-авантюрной эпопеи Артуро Переса-Реверте о капитане Алатристе. Впервые на русском языке.

УДК 82(1–87)–3
ББК 84(4Исп)

ISBN 5–699–10685–5

———————

Оборванной, корявою оравой,
Мы шли за капитаном и — за славой,
И каждый воин был наперечет.

Отряд сражался в долах италийских,
В чащобах Мексики, на кручах гор альпийских...
Куда теперь судьба его влечет?

К.С. дель Рио. «Сфера»[1]

1   Здесь и далее стихи, кроме отмеченных особо, — в переводе
А.Богдановского. — *Прим. ред.*

I

Вылазка

Черт возьми, знали бы вы, как промозгло и сыро на берегу голландского канала ранним осенним утром. Солнце, еле-еле пробиваясь сквозь завесу тумана над плотиной, льет слабый свет на тех, кто шагает по дороге к городским воротам, которые скоро откроются и впустят торговцев, приехавших на рынок. Только слава, что солнце — невидимое, негреющее, недостойное своего имени; впрочем, так им, еретикам, и надо. И в его мутном, сером свете, бессильном справиться с хмарью и моросью, чуть виднеются запряженные в телегу волы, крестьяне с корзинами, женщины в белых чепцах, с кругами сыра и кувшинами молока.

Стиснув зубы, чтоб не клацали от стужи, перекинув через плечо связанные вместе котомки, медленно шел по дороге и я. Земляную насыпь у дамбы туман окутывал так плотно, что очертания деревьев, кустов, тростника едва угадывались. Да, почудилось на миг, будто там тускло блеснул металл шлема, или кирасы, или обнаженного клинка, но говорю же — только на миг, а потом влажные испарения, клубившиеся над водой, снова все скрыли. Девушка, шагавшая рядом, должно быть, тоже что-то заметила, ибо из-под сборок накрахмаленного чепца метнула тревожный взгляд сперва на меня, а потом туда, где, серые на сером, темнели фигуры в касках и с алебардами — голландские часовые, охранявшие подъемный мост.

Небольшой городок, именовавшийся Аудкерком, стоял в точке соединения канала Остер, реки Мерк и дельты Мааса. Городок был мал да удал, и значение имел чисто военное, поскольку закрывал доступ к этому окаянному каналу, по которому мятежные еретики переправляли подкрепления своим соотечественникам, сидевшим в осажденной крепости Бреда в трех лигах отсюда. Гарнизон Аудкерка состоял из горожан-ополченцев и двух рот регулярной пехоты, причем одна была укомплектована англичанами. Укреплен был городок весьма прочно, главные ворота защищены бастионом и рвом, через который переброшен был подъемный мост, так что с налету не возьмешь. Именно по этой причине я в столь ранний час и находился здесь.

Полагаю, вы меня если не узнали, так вспомнили. Звался я — и сейчас зовусь — Иньиго Бальбоа, в ту пору исполнилось мне четырнадцать лет, и скажу, не хвалясь, что, несмотря на юные годы, я уже повидал кое-какие виды. После весьма опасных приключений в Мадриде, откуда правил нами государь наш Филипп Четвертый; после того, как пришлось мне орудовать и клинком, и пистолетом; после того, как

Вылазка

я чудом не попал на костер — так вот, после всего
этого я уже год находился в действующей армии, со-
стоя при капитане Алатристе: наш Картахенский
полк, морем переброшенный в Геную, двинут был
через Милан по так называемому Испанскому трак-
ту воевать с мятежными голландцами. Минула без
возврата эпоха великих полководцев, грандиозных
битв и не менее грандиозных грабежей — ныне война превратилась в некое подобие скучной и долгой
шахматной партии: крепости и плацдармы по несколько раз переходили из рук в руки, а доблесть за-
частую значила меньше, нежели терпение.

И рядом с девицей в чепце, наполовину скрывав-
шем лицо, шел я в тумане к городским воротам и голландским часовым, а вокруг мычали волы, гоготали
гуси, скрипели телеги, шагали крестьяне. И один из
этих крестьян, примечательный тем лишь разве, что
был, пожалуй, смугловат для здешних мест, где на-
род, как на подбор, белобрысый и светлоглазый, поравнялся со мной и, сквозь зубы бормотнув нечто
похожее на «аве-марию», прибавил шагу, догоняя
четверых своих товарищей — тоже что-то больно
сухопарых да чернявых.

И, стало быть, почти одновременно все мы, то
есть четверо передовых, один замыкающий, девица
в чепце и я, грешный, оказались перед часовыми на
подъемном мосту. Было их двое — толстый багрово-
рожий капрал в черном плаще и второй, с пышны-
ми светлыми усами, — я его запомнил очень хорошо: он что-то сказал по-голландски крестьяночке —
надо думать, комплимент отвесил — и сам же первый захохотал. Однако смех его в тот же миг и обо-

рвался, ибо тощий крестьянин — тот самый, что приветствовал меня «аве-марией» — невесть откуда взявшимся кинжалом полоснул солдата по горлу, и толстая струя крови забрызгала мои котомки: я только что развязал их, чтобы четверо остальных смогли расхватать лежавшие там пистолеты. Красномордый открыл было рот крикнуть: «Тревога!» — открыть-то открыл, да не крикнул, а не крикнул потому, что не успел: кинжал, вонзившийся чуть повыше латного нашейника, взрезал капралу глотку от уха до уха. А когда он повалился наземь, я бросил ненужные более котомки и с кинжалом в зубах очень проворно устремился к мосту, тогда как вышепомянутая девица в чепце — тут прямо надо сказать, что и чепец свой она уже сбросила, да и к девицам ровно никакого отношения не имела, будучи пареньком моего примерно возраста и отзываясь на имя Хайме Корреас, — рванулась туда же с другой стороны. Намеревались мы какими-нибудь деревяшками застопорить шкивы и блоки, обрубить тросы и в намерении своем преуспели.

И за всю свою историю не видал и не ведал еще Аудкерк такого пробуждения — четверо с пистолетами и один с «аве-марией», как стая демонов, понеслись по бастиону, огнем и железом сметая оттуда все живое. А к тому времени, когда мы с моим напарником привели в негодность механизм подъемного устройства и соскользнули по цепям вниз, от дамбы уже доносился глухой гул: это полтораста испанцев, которые ночь провели по пояс в воде, теперь выскочили на сушу с криками «Сантьяго! Сантьяго! Испания и Сантьяго!», твердо намеренные согреться кровью и огнем, полезли на земляной вал, ринулись по перемычке к подъемному мосту и крепостным воротам, вскочили на бастион и, наводя ужас на голландцев, метавшихся из стороны в сторону, как ополоумевшие гуси, ворвались в городок, круша все на своем пути.

Теперь в исторических трудах взятие Аудкерка называют не иначе как резней, уподобляя пресловутой *furia española*[1] — испанской ярости, явленной в Антверпене, и утверждают, будто в то утро Картахенский полк действовал с беспримерной жестокостью. Что ж... Мне ли о этом не знать: я там был и все видел своими глазами. Да, поначалу было смертоубийство или, если угодно, резня, и пощады не давали никому. А не скажете ли, как еще полутора сотням атакующим взять укрепленный голландский город с гарнизоном в семьсот человек? Только ужас внезапного и беспощадного штурма может сразу и навсегда сломить сопротивление еретиков — и наши применили эту методу со всей тщательностью, присущей истинным и закаленным в боях мастерам своего дела. И вот, дабы вселить панику в ряды обороняющихся и вынудить их к сдаче, наш полковой командир дон Педро де ла Амба приказал покрошить с первых мгновений штурма как можно больше народу и не сметь грабить город, пока не одержана победа полная и несомненная. Так что подроб-

---

1 Понятие *furia española* («испанская ярость») вошло в исторический обиход полвека спустя после описываемых в романе событий: 4 ноября 1576 г. испанские войска взяли штурмом и разграбили Антверпен. — *Здесь и далее примечания переводчика, кроме оговоренных особо.*

ности позвольте опустить. Скажу лишь, что в этом кромешном аду закладывало уши от грохота выстрелов, от криков, от лязга стали, и ни один голландец старше пятнадцати лет, попавшийся нам под руку при начале дела, сопротивлялся ли он, сдавался или спасался бегством, живым не ушел и, стало быть, об этом не расскажет.

И дон Педро рассчитал верно. Паника, обуявшая защитников города, стала нашим главным союзником, отчего и потеряли мы всего человек десять-двенадцать убитыми и ранеными. Согласитесь, черт возьми, — это сущие пустяки по сравнению с двумя сотнями лютеран, которых похоронили на следующий день, так что Аудкерк достался нам, можно сказать, почти даром. Выражаясь военным языком, основной очаг сопротивления обнаружился в ратуше, где человек двадцать англичан успели занять оборону. Кто их, спрашивается, звал сюда, англичан этих, ставших на сторону мятежников после того, как его величество отказался выдать свою сестру, инфанту Марию, за принца Уэльского? Зачем было встревать им не в свое дело? И какая была печаль чужих быков случать? Так что когда первые испанцы с окровавленными клинками ворвались на площадь, а надменные островитяне встретили их с балкона ратуши мушкетным залпом, наши почли это горчайшей обидой. И, натащив пакли, пороха и смолы, подожгли здание муниципалитета вместе с засевшими там англичанами, а те, кто успевал — если успевал — выскочить наружу, попадал из огня если не в полымя, так под огонь.

Потом, как водится, начался грабеж. По стародавнему военному обычаю, город, не принявший ус-

Вылазка

ловий сдачи и взятый с бою, пускался на поток и разорение, а в алчности и жажде наживы каждый наш солдат стоил десятерых, тогда как в бахвальстве — сотни. Ну вот, и поскольку Аудкерк не капитулировал — губернатора в первые же минуты застрелили, а бургомистра вздернули на дверях собственного дома, — хоть и достался нам, можно сказать, малой кровью, то и не потребовалось особых церемоний для того, чтобы испанцы, выбрав дома попригляд-ней — а других в городе и не было, — принялись тащить оттуда все, что под руку подвернулось. Это иной раз приводило к прискорбным происшествиям, ибо аудкеркские обыватели, как поступили бы на их месте и всякие другие, противились подобному бесчинству, добром со своим добром расставаться не желали, а потому, чтоб отдавали свои вещички, увещевать многих пришлось шпагой. И вскоре заполнились улицы солдатами, которые в дыму и пламени пожаров сновали взад-вперед, нагруженные разнообразнейшим скарбом. Зрелище не радовало глаз — содранные занавески, в щепки разнесенная мебель, раздетые, разутые трупы, и нога оскальзывается в темных лужах крови на мостовой, и собаки эту кровь лакают. Сами понимаете.

Что касается безобразий по женской части, то их не было, ну, или, по крайней мере, они не поощрялись. Более того — возбранялись. Равно как и стремление напиться допьяна, поскольку оба порока действуют разлагающе на самое дисциплинированное воинство. Наш главнокомандующий дон Амбросьо Спинола, не собираясь настраивать против себя гражданское население, которое мало того, что обдерут и зарежут, так еще и на законных основаниях изнасилуют, поставил вопрос остро — уж куда острей: гляди, не обрежься — и отдал соответствующий приказ. И накануне штурма, для вящей доходчивости, для пущей наглядности, в назидание и для острастки повесил двоих-троих солдат, уличенных в том, что позволили себе по отношению к женщинам лишнее. Видать, осведомлен был генерал о несовершенстве человеческой природы — ведь даже в команде Господа нашего Иисуса Христа, даром что он сам же ее и набирал, один его предал, другой от него отрекся, а третий ему не поверил. И в данном случае примерное наказание, завинтиво превентив — тьфу, наоборот! — превентивно завинтив гайки, произвело должное впечатление на личный состав и действие возымело: за исключением одного-единственного случая насилия — неизбежного, согласимся, когда солдатня распалена легкой победой и богатой добычей, — за которое виновный вздернут был *ad hoc*[1], добродетель фламандских женщин, какова бы она ни была, осталась нетронутой и урону не понесла. До поры до времени.

Ратуша до самого флюгера была объята пламенем. Мы шли с Хайме Корреасом, радуясь, во-первых, тому, что уцелели, а во-вторых — что на радость всем и каждому, кроме, разумеется, голландцев, с честью выполнили возложенное на нас поручение. В котомки мои, подобранные после боя и до сих пор липкие от крови светлоусого часового, сложили мы кой-какие трофеи — столовое серебро, несколько золотых

---

1   *Зд.:* на месте (*лат.*).

монет, цепь, снятую с шеи убитого горожанина, и два превосходных, совсем новеньких металлических кувшина. Спутник мой щеголял в очень красивом шлеме с перьями, защищавшем прежде голову какого-то англичанина, которому теперь не на что было его надевать, а в брошенном доме, где мы с Хайме пошарили в свое удовольствие, я разжился роскошным колетом из красного бархата, расшитого серебром. Вместе с напарником моим, тоже состоявшим в пажах — только я у Диего Алатристе, а он у прапорщика Кото, — мы испытали столько лишений и передряг, что с полным правом считали друг друга добрыми товарищами. Богатые трофеи вкупе с наградой, которую обещал ему наш капитан дон Кармело Брагадо, если трюк с переодеванием сойдет гладко и удастся провести часовых у подъемного моста, несколько примиряли Корреаса с тем, что пришлось оскоромиться девчоночьим обличьем — ничего не поделаешь, мы бросили жребий, и напялить юбку пришлось ему. Ну а я, к тому времени уже твердо решивший в положенный законом срок пойти в солдаты, пребывал в полнейшем упоении, столь свойственном юности, и голова моя блаженно кружилась от запаха пороха, возвещавшего славу, приключения и прочие восторги. Вот, черт возьми, как воспринимает войну человек, когда лет ему ровно столько, сколько строчек в сонете, и по милости божественной Фортуны сам он становится не жертвой, ибо Фландрия со всеми своими фламандцами была для меня чужбиной, — но свидетелем. А порой — и скороспелым палачом. Впрочем, я, кажется, прежде уже говорил вам, господа, пусть и по другому случаю, что такие тогда были времена: жизнь человеческая, да хоть бы и своя собственная, стоила дешевле куска закаленной стали, призванного эту самую жизнь оборвать. Лихие были времена. Трудные, тяжкие, жестокие.

Ну, стало быть, добрались мы до муниципальной площади и остановились поглазеть на пылающую ратушу и трупы англичан — много было среди них белокурых, рыжеватых и веснушчатых, — раздетых донага и сваленных кучей у дверей. Мимо сновали, таща добычу, испанцы, и, по овечьи сбившись в кучу под бдительным приглядом наших до зубов вооруженных однополчан, стояли перепуганные горожане. Большей частью — женщины, старики и дети, взрослых мужчин было мало. Помню какого-то паренька наших с Хайме лет, взиравшего на нас с угрюмым любопытством. Помню бледных женщин — под белыми чепцами прятались светлые волосы, широко открытые светлые глаза с ужасом следили за испанцами: эти вымазанные кровью, грязью, илом, пропахшие пороховым дымом смуглые чужаки, хоть ростом и уступали фламандцам, были густоусы, крепконоги, одеты в железо и кожу. Мушкет на плече, шпага в руке. Никогда не забуду, с какой ненавистью и страхом тогда и потом, здесь и повсюду люди глядели на пропыленных ощетиненных сталью оборванцев, которые входили в их города, маршировали мимо их домов и, когда молчали, то казались еще опасней, чем когда горланили, и нищета не помехой была их гордыне, ибо, как писал Бартоломе Торрес Наарро:

Вылазка

> Мы одолеем злого ворога,
> Запомни крепко: на войне
> Солдата руки стоят дорого,
> А деньги — вовсе не в цене.

Мы были козырной картой его католического величества — доблестной королевской пехотой. Все пошли на войну добровольно, кто за славой, кто за деньгами; были среди нас люди порядочные, были — и в немалом количестве — отъявленный сброд, отребье, подонки, жаждавшие грабежа и добычи и соблюдавшие железную дисциплину исключительно в бою, под огнем неприятеля. Бестрепетные и грозные даже в час поражения, испанцы два столетия кряду поставляли лучших в Европе солдат, являя собой могучую и безотказную военную машину, не знавшую себе равных на полях сражений. Впрочем, к тому времени, о котором я толкую: когда завершилась эпоха великих сражений, когда все шире стала распространяться артиллерия, когда боевые действия во Фландрии свелись, главным образом, к долгим осадам, к подведению мин и сидению в траншеях, — пехота наша уже отчасти утратила свойства того великолепного воинства, которое явно имел в виду — и держал в уме — Филипп Второй, сочиняя свое знаменитое письмо послу испанского двора при Святом Престоле:

Я не желаю быть и не буду властелином еретиков. И если вопреки моему желанию не удастся уладить дело миром, то я преисполнен решимости взяться за оружие и не остановлюсь ни перед опасностью, грозящей мне, ни перед разорением держав, враждебных

Испании, равно как и союзных им, ибо нет таких препон, которые не одолел бы, проходя свое поприще, христианский и богобоязненный государь.

Так оно все, черт возьми, и было. После долгих десятилетий грызни едва ли не со всем светом, грызни, ничего путного нам не принесшей, оставалось Испании только посылать свои полки умирать на поля сражений, подобные Рокруа, где, оберегая за неимением лучшего былую славу, гибли мы угрюмо, «возводя башни и стены из собственных тел», как с восхищением писал француз Боссюэ[1]. И до самого конца с нами драться было — что с тигром целоваться. И пусть даже наши солдаты и генералы были уже не те, что при герцоге Альбе или при Алессандро Фарнезе[2], все равно — испанцы долго еще оставались для всей Европы кошмаром. Не они ли взяли в плен французского короля при Павии; разгромили врага при Сен-Кантене, разграбили Рим и Антверпен, овладели Амьеном и Остенде, перебили десять тысяч врагов при взятии Хеммигена, восемь — при осаде Маастрихта и девять — в деле при Экло, причем тогда дрались врукопашную, стоя по пояс в воде. Бич Божий, гнев Господень. И с первого взгляда становилось понятно, почему: наше корявое хмурое воинство, нагрянувшее из выжженных солнцем южных краев, сражалось на враждебной чужбине,

1   Жак Бенинь Боссюэ (1627–1704) — французский проповедник, употребивший этот образ в своем «Надгробном слове принцу Конде».
2   Алессандро Фарнезе, герцог Пармский (1545–1592) — крупный военачальник и дипломат.

где отступать было некуда, а поражение означало уничтожение. Одних привело сюда желание слава, других — намерение покончить с нищетой и голодом, так что известная песенка из «Дон Кихота» была будто про них писана:

> В полымя да из огня
> Рвусь не за медали:
> Были б деньги — здесь меня
> Только б и видали.

Или такие вот старинные и красноречивые стихи:

> Коль денег нет, седлай — и в стремена!
> Дерись и в ус не дуй, как говорится.
> Раздвинутся Кастилии границы
> Пред грудью боевого скакуна.

Ладно. Стало быть, мы раздвигали — и, к слову сказать, долго еще будем раздвигать — границы Кастилии своими клинками и вот сегодня с Божьей ли помощью или по дьявольскому наущению вернули короне отложившийся было Аудкерк. Над балконом одного из домов на площади реяло знамя нашей роты; товарищ мой Хайме Корреас отправился искать своих. Я же зашагал дальше, стараясь держаться подальше от нестерпимого жара, и, обогнув полыхающую ратушу, увидел двоих: они торопливо вытаскивали связки книг и бумаг и складывали их на улице. Это было похоже не столько на грабеж — кто ж польстится на книги? — сколько на спасательные работы. Так или иначе, я подошел поближе. Помнится, я уже говорил вам, что в бытность мою столичным жителем познакомился с печатным словом, благодаря дружеским отношениям с доном Франсиско де Кеведо — он подарил мне Плутарха, — занятиям латынью и грамматикой с преподобным Пересом, любовью к произведениям Лопе де Веги и страстью к чтению, которую питал мой хозяин, капитан Алатристе.

Одним из тех, кто вытаскивал книги, был голландец средних лет с длинными седыми волосами, одетый во все черное, как пастор, хотя он не был похож на местных священнослужителей, если, конечно, позволительно отнести это слово к тем, кто смущает уши и прельщает души ересью Кальвина, гореть ему, подлецу, в геенне огненной вовеки веков. Я решил, что это какой-то муниципальный чиновник, и прошел бы своей дорогой, если бы мое внимание не привлек второй: когда он появился в дверях с охапкой книг, я увидел на нем форменную красную перевязь, принятую в нашей пехоте. Он был молод, с непокрытой головой, а мокрое от пота, черное от копоти лицо свидетельствовало, что ему уже не раз приходилось нырять в зев жаровни, которую являло собою здание ратуши. Шпага на перевязи, высокие сапоги перепачканы грязью и сажей, рукав колета дымится, а ему вроде бы и дела до того нет. Но вот наконец заметил, составил стопку книг на землю и, похлопав небрежно, загасил тлеющую ткань. Тут я смог разглядеть его: худой, остролицый, он носил негустые каштановые усики и маленькую бородку под нижней губой. На вид я дал бы ему лет двадцать — двадцать пять.

— Что стоишь как монумент? — проворчал он, признав во мне своего по выцветшему косому крес-

ту, который я успел нашить на грудь нового колета. —
Помог бы лучше.

Потом огляделся по сторонам, заметил женщин
и детей, которые издали наблюдали за происходя-
щим, и прожженным рукавом утер пот со лба.

— Черт, до смерти пить охота.

И с этими словами снова нырнул в двери вслед за
голландцем. Поразмыслив, я решил сбегать к ближайшему дому, где в проеме сорванной с петель и в
щепки разбитой двери испуганно жалось голланд-
ское семейство.

— Drinken, — сказал я, протягивая свои кувшины,
а другой рукой берясь за кинжал.

Вероятно, голландцы поняли меня правильно,
потому что сейчас же наполнили кувшины водой, и
я отнес их к дверям ратуши, откуда с очередными
стопками книг появились эти двое. Оба, с жаднос-
тью припав к воде, единым духом осушили кувшины, и, прежде чем снова скрыться в дыму, испанец
обернулся ко мне и сдержанно произнес:

— Спасибо.

Поставив кувшины на землю, я снял свой бархатный колет и последовал за этим молодым человеком — поверьте, не потому, что, поблагодарив, он
улыбнулся, не потому, что меня растрогали прож-
женная одежда или покрасневшие от дыма глаза;
нет, благодаря этому безвестному солдату мне вдруг
стало ясно: есть на свете нечто поважнее добычи.
Хотя, если повезет, за день можешь получить больше, чем от казны — за год. И вот, набрав полные легкие воздуха, закрыв рот и нос платком, пригнувшись,
чтобы уберечь глаза от летевших со всех сторон искр,

я снова и снова нырял в густой дым и снимал книги с горящих полок, пока раскаленный воздух не начал обжигать мне нутро при каждом вздохе, жар не сделался совсем уж нестерпимым, а бо́льшая часть книг не превратилась в пепел и прах — не влюбленный прах, воспетый в прелестном сонете дона Франсиско[1], а тот, в котором бесследно исчезли столько часов упорного и усердного труда, столько любви, столько мудрости, столько жизней, способных просветить и вразумить своим примером неисчислимое множество других жизней.

После очередной ходки горящая кровля со страшным грохотом обрушилась у нас за спиной, и мы остались снаружи, распяленными ртами жадно хватая свежий воздух, одурело оглядывая друг друга, плача от дыма, утирая липкий пот рукавами. У наших ног высилась груда спасенных от гибели книг и рукописей — примерно десятая часть, прикинул я, того, что сгорело. В изнеможении опустившись на колени рядом с этой кучей, кашлял и лил слезы голландец в черном. А солдат, немного отдышавшись, улыбнулся мне так же, как в ту минуту, когда благодарил за принесенную воду.

— Как тебя зовут, мальчуган?

Я выпрямился, перебарывая последний приступ кашля.

— Иньиго Бальбоа. Роты капитана Кармело Брагадо.

Это не вполне соответствовало действительности. Под началом вышеназванного капитана служил

---

1   «...И прахом стану, прахом, но — влюбленным». См. «Чистая кровь».

мой хозяин Диего Алатристе, я же числился там постольку-поскольку, ибо паж есть нечто среднее между слугой и вьючным мулом, но уж никак не солдат. Однако незнакомец не обратил внимания на неточность моего высказывания.

— Спасибо тебе, Иньиго Бальбоа, — промолвил он.

Широкая улыбка осветила его черное от сажи и лоснящееся от пота лицо.

— Когда-нибудь, — прибавил он, — ты вспомнишь о том, что сделал сегодня.

Забавно, не правда ли? Не мог он этого знать наперед, однако же, беру вас в свидетели, господа, — слова его сбылись: я и вправду вспоминаю его и тот день. А солдат левую руку положил мне на плечо, а правую протянул для рукопожатия — крепкого и горячего. Не обменявшись ни единым словом с голландцем, который раскладывал книги на стопки столь бережно, словно разбирал бесценные сокровища — теперь-то я знаю: так оно и есть, — он пошел прочь.

Минуло немало лет, прежде чем судьба вновь свела меня с тем безвестным солдатом, которому я в промозглый осенний день взятия Аудкерка помог спасти хранившиеся в ратуше книги. Лишь много позже, когда я был уже спелым и зрелым человеком, в Мадриде и при обстоятельствах, которые увели бы нас слишком далеко от нашего повествования, посчастливилось мне встретиться с ним. Хоть и давно была первая наша встреча, он запомнил меня, а я лишь тогда смог наконец узнать его имя — Педро Кальдерон, дон Педро Кальдерон де ла Барка.

Но вернемся в Аудкерк. После того как солдат удалился, я отправился на поиски Диего Алатристе и вскоре нашел — целый и невредимый сидел он со всеми прочими у маленького костерка, разложенного в саду на задах дома неподалеку от набережной. Капитану и его товарищам поручено было захватить эту часть города, сжечь лодки и баркасы, тем самым отрезав голландцам путь к отступлению через задние ворота крепости. К этому времени обугленные посудины дотлевали у причала, а все вокруг носило следы совсем еще недавнего боя.

— Иньиго, — подозвал меня капитан.

Он улыбался устало и глядел несколько отчужденно, как свойственно солдатам, уцелевшим в тяжелом бою. С течением времени, проведенного во Фландрии, я научился безошибочно отличать этот взгляд от всех прочих, что бы ни выражали они — изнеможение, покорность судьбе, страх, готовность встрепенуться при первом звуке трубы. Такой взгляд не в пример иным надолго застревает в глазах, и вот им-то встретил меня сейчас хозяин. Расслабленно облокотясь о стол и вытянув вперед левую ногу, словно она у него болела, сидел капитан Алатристе на скамье. Высокие сапоги его были до самых голенищ облеплены глиной, а из-под наброшенной на плечи вылинявшей грязной *ропильи*[1] выглядывал старый нагрудник из буйволовой кожи. Шляпу капитан положил на стол, рядом с пистолетом — разряженным, как я успел заметить, — и поясом, к которому были пристегнуты шпага и кинжал.

1 Ропилья — короткая приталенная одежда с двойными рукавами.

Вылазка

— Садись, погрейся.

Я повиновался с удовольствием, между тем разглядывая тела троих голландцев — один валялся на досках мола, второй — под столом, третий лежал вниз лицом в дверях домика, сжимая в руках древко алебарды, которая не пригодилась ему ни для защиты, ни для чего иного. Еще я заметил, что карманы у него вывернуты, что на нем нет ни кирасы, ни сапог и что на левой руке не хватает двух пальцев — тот, кто стягивал с них перстни или кольца, явно очень спешил. Красновато-бурый ручеек крови, огибая весь сад, подтекал к самым ногам капитана.

— Да уже не так холодно, — сказал кто-то из солдат.

По сильному баскскому выговору я и не оборачиваясь понял, что слова эти произнес Мендьета, мой соплеменник, крепкий, бровастый бискаец с усами, густотой и пышностью не уступавшими усам капитана Алатристе. Рядом выскребали свои котелки смуглый, как мавр, Курро Гарроте, уроженец Малаги, Хосе Льоп с Майорки и арагонец Себастьян Копонс, старый сослуживец моего хозяина — крепенький жилистый коротыш, чье лицо, казалось, было высечено резцом по меди. Здесь же, неподалеку, бродили братья Оливаресы и галисиец Ривас.

Все знали, какое трудное задание получил я перед атакой, а потому обрадовались, увидав меня живым-здоровым, однако обошлись без душевных излияний: во-первых, мне уже случилось понюхать пороха во Фландрии, во-вторых, каждому хватало собственных забот, а в-третьих, у солдат вообще не принято чрезмерно ликовать из-за того, что кто-то не подкачал, выполняя свои обязанности, за которые, кстати сказать, ему от казны идет жалованье. Впрочем, мы — речь, конечно, не обо мне, ибо нестроевые пажи-*мочилеро* денежного содержания не получали — давно уже забыли, как выглядит и на что похожа монетка в восемь реалов.

Диего Алатристе тоже приветствовал меня всего лишь рассеянной улыбкой. Заметив, однако, что я вьюсь вокруг него, как щенок в ожидании хозяйской ласки, одобрил мой бархатный трофей и предложил мне ломоть хлеба и пару колбасок, поджаренных на том же костре, у которого грелись его товарищи, пытаясь просушить одежду, все еще влажную после ночи, проведенной по пояс в воде. Лица у них были сальные, грязные, волосы растрепаны, вид изможденный, однако все пребывали в наилучшем расположении духа — остались живы, одержали победу, вернули мятежный Аудкерк в лоно католической церкви и под державную руку нашего государя, а добыча — в углу были свалены мешки и узлы — оказалась вполне приличной.

— Три месяца жалованья в глаза не видели, — заметил Курро Гарроте, счищая с перстней запекшуюся кровь. — Теперь, глядишь, и продержимся.

С противоположной стороны городка донеслись звуки труб и барабанная дробь. Понемногу развиднелось, и взорам нашим предстала шеренга солдат, поднимавшихся на Остерскую плотину. В последних клочьях тумана колыхались, точно камыши, длинные пики; скрытое за тучами солнце выслало, словно в передовой дозор, слабый луч — и заиграли, отражаясь в тихой воде канала, стальные наконечники, шлемы, кирасы. Впереди двигались несколько всадников, несли знамена со старым добрым андреевским — иначе его еще называют бургундским — крестом, издавна осенявшим испанские легионы.

— Пожаловал... — сказал Гарроте. — Петлеплёт злозыбучий.

Тут надо пояснить, что именно такая кличка накрепко прилипла к нашему полковнику — к дону Педро де ла Амба. Второе слово, впрочем, звучало несколько иначе, и в приличном обществе я произнести его не решусь, но примите в расчет, что мы были солдаты, а не монашки. Первая же часть прозвища объяснялась тем, что полковник, будучи рьяным поборником дисциплины, обожал вешать своих солдат за дело и без дела. Это я к тому клоню, что злозыбучий Петлеплёт, он же Педро де ла Амба в сопровождении резервной роты под началом капитана дона Эрнана Торральбы взъезжал на плотину, чтобы вступить, так сказать, на стогны покоренного Аудкерка.

— Продрал наконец глаза... Выспался на славу... Как всегда, подоспел к шапочному разбору, — мрачно пробормотал Мендьета.

Диего Алатристе медленно поднялся: было заметно, что движение это далось ему с трудом — он приволакивал левую ногу. Я знал, что сказывается давняя рана, полученная год назад в одном из закоулков возле Пласа-Майор при очередной встрече с давним его врагом Гвальтерио Малатестой. Голландская сырость и ночь, проведенная в воде Остерского канала, — не лучшие способы лечения, вот рана и разнылась.

— Пойдем-ка глянем.

Он пригладил усы, туго затянул пояс, уравновесив пистолетом висевшие слева шпагу и кинжал, надел свою широкополую шляпу с неизменным, а потому сильно потрепанным красным пером. Потом медленно обернулся к Мендьете.

— Чего ж начальникам не выспаться на славу, раз подчиненные, встав пораньше, им ее добудут, — сказал Алатристе, и по выражению его прозрачно-зеленоватых глаз невозможно было определить, серьезно он говорит или шутит.

II

Голландская зима

Шли недели, складываясь в месяцы, прикатила к нам зима, и, хотя генерал Амбросьо Спинола расчехвостил, образно выражаясь, мятежные провинции, окончательное покорение Фландрии все откладывалось да откладывалось, покуда наконец не отложился бесповоротно сам этот край. А не давалась победа нам в руки потому, что, как вы, должно быть, и сами догадались, некогда могучая армия испанского короля с каждым днем ослабляла хватку, которой удерживала эти далекие земли, откуда почта в Мадрид шла целых три недели — это если гнать лошадей во весь опор. На севере Генеральные Штаты при поддержке и содействии Англии, Франции, Венеции и прочих наших врагов укрепились в своих мятежных намерениях и окончательно закоснели в мерзостном кальвинизме, ибо ересь эта пришлась по нраву тамошним купцам и торговцам больше, нежели истинная вера, старомодно не дающая человеку потачки и мало применимая к делу, отчего деловые люди и предпочли завести себе такого Бога, который не взыскивал бы с них за получение дохода, не корил бы за барыши, — а заодно вознамерились и стряхнуть с себя ярмо кастильской монархии, находящейся где-то у черта на рогах, дохнуть им не дававшей без спросу, то есть — отдаленной, самодержавной и донельзя централизованной. Южным же провинциям, покуда еще сохранявшим верность Риму и Мадриду, до смерти опротивела война со всеми ее издержками и проторями, тем паче что длилась она ни много ни мало восемьдесят лет, и надоело терпеть ущерб, причиняемый нашей армией, с каждым часом все сильней напоминавшей армию захватчиков. Все это весьма накаляло обстановку. Не забудьте и о том, что само наше отечество пребывало в упадке, ибо преисполненный благих намерений да неспособный их осуществить король, умный да непомерно честолюбивый первый министр, бесплодная, как все равно смоковница какая, аристократия, растленное чиновничество и духовенство, столь же фанатичное, сколь безмозглое, вели нас прямиком к нищете и катастрофе. Дивиться ли, что Каталония и Португалия спали и видели, как бы с нами распрощаться, и последней это удалось, причем — навсегда. И мы, испанцы, которых за руки и за ноги держали короли, гранды и клир, мы, опутанные множеством предрассудков религиозных и мирских, стыдившиеся добывать хлеб насущный трудами рук своих и в поте лица своего, предпочитали искать счастья на фламандских полях сражений или покорять Америку, уповая, что внезапная удача позволит нам зажить припеваючи, озолотит в

одночасье и налогов не вычтет. Вот почему захире-
ли у нас торговля и ремесла, позакрывались цеха и
мануфактуры, вот почему обезлюдела и обеднела
наша Испания, а мы выродились сначала в искателей приключений, потом в нищих благородного
звания, а потом и вовсе — в ничтожных и жалких
потомков Санчо Пансы. Мудрено ли в свете всего
вышесказанного, что необозримое наследие пращу-
ров — империя, над которой никогда не заходит
солнце, — продолжало существовать только благодаря золоту, бесконечным потоком лившемуся из
Индий, и пикам своих испытанных солдат, которые
скоро обессмертит на полотне Диего Веласкес[1]. И
потому, невзирая на весь упадок, мы еще внушали
страх и не позволяли глядеть на себя свысока. Так
что вовремя и уместно, в пику — извините за калам-
бур — всем прочим народам и государствам прозвучали бы такие стихи:

> А кто нам вздумал угрожать войной?
> Кто прошлое посмел забыть? Не ты ли?
> Иль при упоминании Кастильи
> Не содрогнется в страхе шар земной?

Вы, господа, вправе будете посетовать на не-
скромность, с коей поместил я свою персону на сие
грандиозное историческое полотно, а я вам отвечу,
что к тому времени Иньиго Бальбоа, знакомый вам
по приключению с двумя англичанами и нападе-
нию на монастырь, был уже не совсем молокосос.
Зима пятьсот двадцать четвертого года, которую

---

1   Второе название знаменитой картины Веласкеса «Сдача Бре-
    ды» — «Копья».

провели мы, стоя гарнизоном в Аудкерке, застала меня в начале моей бурной возмужалости. Я ведь вам уже докладывал, что успел понюхать пороху и хоть по возрасту не орудовал в боях ни пикой, ни шпагой, ни аркебузой, однако в качестве *мочилеро* был приписан к той роте, где служил капитан Алатристе, а потому имел все основания почитать себя ветераном, ибо в совершенстве превзошел солдатскую премудрость — за пол-лиги мог унюхать, что затлели фитили аркебуз, умел по звуку определить с точностью до фунта и унции, какие калибры вводят неприятельские пушкари, а также развил в себе особое дарование, без которого *мочилеро* — никуда: рыскал по окрестностям в поисках хвороста и пропитания для солдат нашей роты и для себя самого, то есть стал фуражиром. Дело нелегкое, особенно если вся округа опустошена войной, припасы истощились и начальство доверило снабжение армии ей самой. Нелегкое да и опасное — вот под Амьеном французы с англичанами убили восьмерых наших *мочилеро*, мальчишек лет по двенадцати, промышлявших у городских стен. Даже по меркам войны это было просто иродовым деяньем, и потому испанцы отомстили жестоко, переколов и зарубив не менее двухсот белобрысых сынов Альбиона. Потому что как вы с нами, так и мы с вами. И если подданные разных британских величеств доставляли нам немало хлопот, невредно будет вспомнить, что мы в долгу не оставались и спуску не давали и хоть не так чисто были бриты, как гордые бритты, и потемнее мастью, и не галдели так за кружкой пива, но по части высокомерия нисколько им не уступали. И потом, если англичанин всегда сражается в сознании своего национального превосходства, то мы идем в бой, движимые не менее национальным отчаяньем, а это, извините, тоже не баран начихал. Так что мы дорого заставили их заплатить за тех мальчишек, во всей красе проявив свой неукротимый нрав:

> Подранили в сражении немного:
> Ядром шальным оторвало мне ногу.
> Чего о ней жалеть? Такая малость!
> Врага разить рука при мне осталась.

Ну ладно. Это я все к тому, что тянулась зима с ее унылым и робким светом, туманами и серыми дождями, а мы, одолевая мандраж, добывали фураж и осуществляли грабёж — какие там есть еще французские слова? — на фламандской земле, не в пример выжженной солнцем Кастилии — нам и тут не повезло, — зеленой и плодородной: не будь она столь плоской и так изрезанной бесчисленными реками и каналами, нипочем бы не отличить ее от полей родимого моего Оньяте. Занимаясь сим родом деятельности, овладел я едва ли не в совершенстве множеством полезных навыков — воровал кур, выкапывал из земли съедобные клубни, приставал с ножом к горлу — вот уж точно! — к местным крестьянам, отнимая у них — голодавших не меньше нашего — скудные запасы провизии. Словом, совершал я и в ту пору, и в дальнейшем очень много такого, что вспоминать не хочется и чем гордиться не стоит, но все же пережил сам и помог пережить зиму своим товарищам и стал мужчиной в самом полном значении этого слова:

> Так рано я познал сражения и битвы,
> Что шпагою владею лучше бритвы.

Эти слова великого Лопе вполне применимы и ко мне. Я потерял невинность. Совершилось, выражаясь слогом преподобного Переса, мое падение. Ибо в ту пору, в тех краях и в моем двусмысленном положении — не то солдат, не то мальчик на побегушках — невинность оставалась едва ли не единственным моим достоянием. Но, впрочем, дело это — личное, частное, интимное, и у меня нет ни малейшего намерения о нем распространяться.

Взвод, в котором служил Диего Алатристе, был лучшим в роте капитана Кармело Брагадо, потому что люди там служили отборные — крепкие телом, сильные духом, не склонные к умствованьям, но охочие до драки, выносливые и храбрые и к тому же еще и опытные, ибо у каждого за плечами была Пфальцская кампания или годы службы в Средиземноморье, в Неаполе и на Сицилии, как у Курро Гарроте, а Хосе Льоп и бискаец Мендьета воевали в той же Фландрии еще до Двенадцатилетнего перемирия; а кое-кто — вот, например, арагонец Копонс или мой хозяин, чьи послужные списки выцвели от времени, — успел даже застать последние годы царствования славного нашего государя Филиппа Второго, упокой, Господи, его душу. И как тут опять не помянуть Лопе, у которого будто про них писано:

> Стал сей птенчик желторотый
> Украшеньем нашей роты.

По списочному составу числилось во взводе от десяти до пятнадцати человек: кое-кто выбывал из строя, кое-кем строй пополняли, — и предназначение его состояло в том, чтобы шевелиться пошустрей и поспевать на помощь остальным взводам, для чего имелось у него полдюжины аркебуз и сколько-то там мушкетов. Особенностью же его можно было счесть отсутствие командира в капральском чине: мы подчинялись напрямую капитану Кармело Брагадо, а уж тот решал, как нами распорядиться потолковей — отправить ли в поиск, двинуть ли на вылазку, поручить ли рекогносцировку или заткнуть дыру на фланге. Я уже сказал и еще повторю, что подобрались там люди весьма бывалые, ушлые и дошлые, превосходно знавшие свое смертоубийственное ремесло, и потому, вероятно, по негласному уговору вверили они власть над собой Диего Алатристе и повиновались ему, молчаливо признав его первенство. Что же касается трех эскудо жалованья, коими взводный в капральском звании отличался от рядового, то Кармело Брагадо брал их себе в дополнение к тем сорока, что причитались ему за командование ротой. Ибо капитан — человек хорошего рода и разумный, хоть и большой ревнитель дисциплины, — относясь к тому сорту людей, которые мимо рта не пронесут и своего — да и чужого тоже — не упустят, умудрялся наваривать даже на убитых и дезертиров, ибо не торопился снимать их с довольствия и получал за них денежки, если, конечно, было что получать. Впрочем, подобное практиковалось весьма широко, и в оправдание капитану Брагадо можно сказать, что, во-первых, он всегда был в случае крайности готов помочь своим солдатам, а во-вторых, дважды предлагал Диего Алатристе капральский чин, но мой хозяин от повышения неизменно отказывался. А о дарованиях Алатристе ротный знал не понаслышке: четыре года назад, при Белой Горе, когда первый приступ был отбит и Букуа с полковником Гильерме Вердуго повели испанцев на второй, капитан Брагадо плечом к плечу с Алатристе и с моим отцом, в ту пору еще, ясное дело, не убитым, лезли вверх по склону, с боем брали каждую пядь этой каменистой земли, заваленной трупами, а еще через год на равнине Флёрюса дон Гонсало де Кордоба выиграл битву, в которой Картахенский полк, отразив одну за другой несколько кавалерийских атак, полег едва ли не целиком, и Алатристе оказался в числе тех, кто, не дрогнув, сомкнул поредевшие ряды вокруг знамени, а поскольку прапорщик, равно как и все прочие офицеры, был убит, держал древко сам капитан Брагадо. В те времена и среди тех людей это кое-что да значило.

А во Фландрии лили дожди, черт бы их драл, лили без передышки всю эту треклятую осень и не менее проклятую зиму, и земля, которую будто сам сатана изрезал вдоль и поперек каналами и реками, раскисла, превратилась в топкую трясину. Лило день за днем, неделю за неделей, лило месяцами подряд, и тучи висели совсем низко над этой чужой страной, где люди, говорившие на незнакомом наречии, ненавидели нас и боялись, где зима и война дочиста вымели поля и где нечем было защититься от холода, ветра и воды. Здесь и не слыхали о персиках, например, или об инжире, о сливе, о перце, о шафране, оливках, апельсинах, розмарине, отродясь не видали сосен, лавров, кипарисов. Здесь, собственно говоря, и солнца-то не было — так, медленно катился в серых тучах какой-то негреющий и тусклый кругляш. Далеко-далеко, на самом краю света остался отчий край в железо и кожу одетых испанцев, топтавших чужую землю, втихомолку вздыхавших по яркой синеве родного поднебесья. И эта заскорузлая грубая солдатня, нагрянувшая сюда на север с ответным, так сказать, визитом — ибо много веков назад, когда пала Римская империя, посетили наш полуостров предки здешних жителей, — знала, что своих тут мало и что все тут чуждо и противно. А флорентиец Николо Макиавелли уже успел к этому времени написать, что пехоте нашей ничего не остается, как быть доблестной, и признал скрепя сердце — ибо терпеть не мог испанцев — что «сражаясь вдали от родины, будучи поставлены перед выбором — победить или умереть, ибо отступать им некуда — выказывают они величайшее мужество и стойкость». В отношении Фландрии были эти слова совершенно справедливы, ибо численность наших войск никогда не превышала двадцати тысяч, из коих больше восьми стянуть в одно место никогда не удавалось, но и с этими утлыми силами полтора столетия мы повелевали Европой и знали: только победы помогут нам уцелеть среди враждебных народов, и в случае поражения бегство нас не спасет. И потому дрались мы до конца, яростно, жестоко и дерзко, проявляя отвагу тех, кому нечего терять и ничего ни от кого ждать не приходится, с истинно религиозным исступлением — об этом лучше всех сказал один из наших военачальников — дон Диего де Акунья — в своей знаменитой пламенной и свирепой здравице:

> Ну, за Испанью! Жизнь отдать мы рады
> За честь ее. А трус — не жди пощады!
> Смердящим псом издохнешь на гноище,
> Не обретешь покоя на кладбище —
> Не жди могилы и креста от нас.
> Ловить проклятья будешь в каждом звуке,
> Не жди, что сына любящие руки
> Глаза тебе закроют в смертный час!

Ну, стало быть, многажды мною уже помянутый дождь лил как из ведра и в то утро, когда капитан Брагадо решил наведаться в расположение своей роты. Капитан, уроженец леонского города Бьерсо, отличался исполинским ростом и редкостной телесной крепостью, а потому раздобыл себе где-то здоровущего голландского тяжеловоза — истинное страшилище себе под стать. Диего Алатристе, который, опершись о подоконник, смотрел, как хлещут струи по толстым оконным стеклам, увидел: вдалеке на плотине появился всадник в шляпе с обвисшими от дождевой воды полями, в непромокаемом плаще на плечах.

— Согрей-ка немного вина, — не оборачиваясь, сказал Алатристе по-фламандски — на это его познаний хватило — стоявшей за его спиной женщине.

Та взбодрила слабенькое пламя в очаге и поставила на него оловянный кувшин, ранее соседство-

Голландская зима

вавший на столе с несколькими ломтями черствого хлеба и котелком, не до конца опорожненным Копонсом, Мендьетой и прочими. Стены и потолок в этой комнатенке, грязной и неприбранной, были густо закопчены, воздух же, насыщенный душными испарениями немытых тел, пропитанный сыростью, которая сочилась сквозь щели, — такой спертый, что хоть ножом его режь; ножом или любой из шпаг, разбросанных по полу вместе с аркебузами, кинжалами, кожаными колетами, частями доспехов и заношенной одеждой. Пахло казармой, зимой, разором. Пахло солдатами и Фландрией.

Сероватый свет из окна отчетливей выделял рубцы и шрамы на небритом густоусом лице, подбавлял льдистой неподвижности зеленовато-прозрачным глазам Алатристе. Колет он набросил на плечи поверх сорочки, отвороты сильно поношенных кожаных сапог были перехвачены под коленями аркебузными фитилями и подвязаны к поясу. Меж тем капитан Брагадо спешился, толкнул дверь и вошел, стряхивая воду со шляпы и плаща, недобрым словом поминая дождь, грязь и всю вообще Фландрию, чтоб ей пусто было.

— Вольно, господа, продолжайте, — сказал он. — Раз уж нашлось чем заморить червячка.

Солдаты, при появлении начальства обозначившие намерение подняться, вновь взялись за ложки, а Брагадо — от мокрого платья его повалил пар — не церемонясь принял из рук Мендьеты ломоть хлеба и миску, где плавало несколько разваренных капустных листьев. Потом задержался взглядом на хозяйке, протянувшей ему кувшин: погрев о него пальцы, он принялся короткими глотками прихлебывать горячее вино.

— Черт возьми, капитан Алатристе, — обратился он к человеку, по-прежнему стоявшему у окна. — Я смотрю, вы тут недурно устроились.

Не часто случалось, чтобы капитан истинный так непринужденно называл капитаном того, кто не состоял в этом чине, и это лишний раз доказывает, что Алатристе знали и уважали все, включая вышестоящих. Кармело Брагадо, произнося эти слова, показывал глазами на хозяйку — белокурую, как почти все ее соотечественники, тридцатилетнюю фламандку. Ее никак нельзя было назвать красавицей — красные, огрубевшие от работы руки, неполный комплект зубов — однако сияла белизной кожа, под передником ходили крутые бедра, а на изобильной груди чуть не лопалась шнуровка корсажа. Одним словом, таких вот женщин любил изображать на своих полотнах Петер Пауль Рубенс. Этакая крепенькая, цветущая, что называется — ядреная бабеночка. И стоило лишь заметить, как они с Диего Алатристе стараются не смотреть друг на друга, чтобы все — от капитана до последнего новобранца — смекнули, что Господь сотворил ее такой аппетитной на беду мужу — зажиточному крестьянину лет пятидесяти, — который с кислым видом ходил взад-вперед, изо всех сил стараясь угодить этим грозным и мрачным чужеземцам: он ненавидел их всеми силами души, да что ж поделаешь, если злосчастной судьбой определены они были к нему на постой? И ему оставалось лишь смирять свою бессильную ярость, еженощно слыша задавленные, едва сдерживаемые стоны страсти, доносившиеся с набитого кукурузными листьями тюфяка, на котором спал Алатристе. Впрочем, хозяин извлекал из этого двусмысленного положения и кое-какую выгоду, ибо в целости сохранил дом, имущество, и собственную шею, а так происходило далеко не везде, где квартировали испанцы. Кроме того, жена, хоть и наделила его рогами, все же принадлежала лишь одному из вояк, да притом — старшему, а не всему взводу, и брали ее по доброй воле, а не силком. В конце концов, во Фландрии, как всегда и везде на войне, надо уметь примиряться с неизбежным: каждый ведь — ну, скажем, почти каждый — хочет прежде всего выжить. А этот муж, по крайней мере, был живой муж.

— Слушай приказ, — сказал капитан. — Пойдете по дороге на Хеертруд-Берген. Кровопусканьями особо не увлекайтесь, в стычки не ввязывайтесь. Языка надо будет взять. А лучше — двоих-троих. Генерал Спинола полагает, что голландцы, поскольку из-за дождей вода поднялась, готовятся отправить подкрепление в Бреду... Так что лигу придется прошагать... Постарайтесь обделать дело скрытно, без шума.

Без шума или под литавры, но переть целую лигу под дождем, по раскисшей глинистой дороге — удовольствие ниже среднего, однако никто не выказал неудовольствия, потому что всякому было ясно: этот же самый дождь не даст голландцам носу высунуть из укрытий, и они будут безмятежно дрыхнуть, покуда кучка испанцев проскользнет мимо.

Диего Алатристе провел двумя пальцами по усам:

— Когда выходить?

— Немедленно.

— Скольких отрядить?

— Всех.

Из-за стола донеслось приглушенное проклятие, но когда капитан, засверкав очами, обернулся, все сидели, потупясь. Алатристе, который по голосу узнал Курро Гарроте, устремил на него пристальный взор.

— Может быть, — очень медленно процедил Брагадо, — кто-нибудь из вас, достопочтенные господа, желает поделиться своими соображениями по этому поводу?

Он отодвинул недопитый кувшин, упер ладонь в навершие эфеса и очень неприятно ощерился, показав крепкие желтоватые зубы. Капитан стал похож на цепного пса, готового укусить.

— Нет, — отвечал Алатристе. — Никто не желает.

— Тем лучше.

Гарроте вскинул голову — он был явно уязвлен. Этот уроженец Малаги был поджарым и смуглым, носил реденькую, вьющуюся бородку — вроде как у турок, с которыми он воевал на галерах в Неаполе и на Сицилии, — длинные, сальные волосы и в левом ухе — золотую серьгу. А в правом — никакой не носил, потому что турецкий ятаган отсек ему пол-уха в морском бою у острова Кипр. Так, по крайней мере, уверял сам Курро. Иные, впрочем, утверждали, что уха он лишился в пьяной драке, имевшей место в Рагузе, в каком-то бардаке.

— Отчего же никто? — сказал он. — Я желаю. Мне есть что сказать господину капитану... Сыну моей мамаши глубочайшим образом на...ть на дождь, на две лиги пути по колено в грязи, на голландцев, турок или еще каких сукиных детей... Это во-первых.

Курро говорил твердо, уверенно, со скрытым вызовом, а товарищи смотрели на него выжидательно, иные — с явным одобрением. Все они прослужили в армии по много лет, и хотя дисциплина и чинопочитание въелись им в плоть и кровь, не утратили известного рода нагловатости, ибо на военное поприще вступали только дворяне и, значит, все тут были равны. Что же касается дисциплины — станового хребта испанских легионов — то ей отдавал должное даже англичанин Гаскойн[1], который в своем донесении о взятии и разграблении Антверпена писал: «В этом отношении валлоны и немцы столь же возмутительны, сколь восхитительны испанцы». Ему видней. А насчет прочих свойств, то нелишним будет послушать мнение дона Франсиско де Вальдеса, прошедшего все ступени служебной лестницы, а потому знающего предмет не понаслышке. Так вот, он писал: «Неукоснительное соблюдение дисциплины особенно трудно дается испанской пехоте, ибо нация эта, будучи темперамента холерического, обделена даром терпеливости». Не в пример фламандцам, медлительным, малоречивым и невозмутимым, не склонным ко вспышкам ярости, никогда не терявшим рыбьего бесстрастия — умолчим, поскольку не о том речь, о нечеловеческой их скаредности, — истинно железная дисциплина, которая

---

1   Джордж Гаскойн (1535–1577) — английский писатель.

вкупе с доблестью и отвагой издревле отличала воинственных испанцев на поле боя, испарялась неведомо куда в мирной, так сказать, жизни, и начальникам приходилось держать ухо востро, обращаясь с ними тактично и политично, чтобы, не дай бог, не обидеть: нередки бывали случаи, когда рядовой солдат, сочтя себя задетым грубым словом, несправедливым взысканием или еще каким истинным или мнимым унижением и пренебрегая неизбежным в сем случае повешеньем, выхватывал шпагу по адресу своего командира, будь то сержант или капитан.

Брагадо, превосходно об этом осведомленный, с безмолвным вопросом обернулся к Диего Алатристе, но тот принадлежал к числу людей, считающих, что каждый сам должен отвечать за слова свои и поступки, а потому сохранял полнейшую невозмутимость.

— Вы изволили сказать: «во-первых», — вновь повертываясь к возмутителю спокойствия, с грозным хладнокровием произнес капитан. — Что же во-вторых?

— А то, что обносились вконец! Оборванцами ходим! — нимало не смешавшись и с ответом не замешкавшись, воскликнул Гарроте. — Провианта не подвозят! А местных приказано не трогать... Что же нам — лапу сосать?.. Местная сволота все попрятала, а если чего и достает из закромов, так дерет за это втридорога. — Он с горькой укоризной показал на хозяина, выглядывавшего из другой комнаты. — Вот побожусь, что если б дали пощекотать эту свинью ножичком меж ребер, она вмиг накормила бы нас до отвала! И, глядишь, откопала бы на огороде кубышечку с такими славненькими кругленькими флоринами.

Капитан Брагадо слушал его терпеливо, однако пальцы с эфеса не снимал.

— Ну а в-третьих?

Гарроте малость повысил голос — ровно настолько, чтобы не подумали, будто он идет на попятный, но и не слишком зарываясь. Он-то знал, что Брагадо не потерпит резкого слова ни от самых своих заслуженных солдат, нижé от Папы Римского. Разве что от короля, ну так на то он и король.

— А в-третьих и в главных, достопочтенные господа, как вы совершенно справедливо и уместно изволили нас назвать, пять месяцев жалованья не видали!

Вот теперь из-за стола явственно донесся дружный ропот одобрения. Промолчал один только арагонец Копонс, продолжавший крошить в свою миску ломоть хлеба. Брагадо обернулся к Алатристе, по-прежнему стоявшему у окна. Тот выдержал его взгляд, не размыкая губ.

— Почему не отвечаете? — буркнул ему капитан.

Алатристе, не изменившись в лице, пожал плечами:

— Я привык отвечать за свои слова, господин капитан. Иногда — и за поступки моих людей... Ну а сейчас я не произнес ни слова, а они ничего не сделали.

— Однако этот солдат удостоил нас своим мнением.

— У каждого есть на это право.

— И поэтому вы молчите и так смотрите на меня?

— И поэтому я молчу и смотрю на вас, господин капитан, а как именно — это уж вам судить.

Брагадо окинул его медленным взглядом и так же медленно кивнул. Капитан был достаточно умен и слишком хорошо знал Алатристе, чтобы отличить твердость от дерзости. Только теперь он выпустил рукоять и в раздумье взялся за подбородок. Но потом оглядел сидевших за столом и опять стиснул навершие эфеса.

— Никому не платят, — наконец выговорил он, обращаясь к Алатристе, словно именно он, а не Гарроте, заговоривший о деньгах, был достоин ответа. — Ни вам, господа, ни мне. Ни дону Педро, ни самому генералу Спиноле!.. Хоть и происходит наш дон Амбросьо из семьи генуэзских банкиров.

Алатристе промолчал и на этот раз, не сводя светлых глаз с капитана. В отличие от Брагадо, он-то успел послужить во Фландрии перед Двенадцатилетним перемирием. И мятежи еще были тогда в порядке вещей. Все знали, что в нескольких он был не то чтобы замешан, а так — поблизости случился, когда войска, которым месяцами и годами не выплачивали содержание, отказывались идти в бой. Дело дошло до того, что из-за плачевного положения испанских финансов мятеж стал единственным и чуть ли не узаконенным способом получить с казны недоимку. Либо мятеж, либо грабеж — такой, как в Риме или в Антверпене:

> Давно уже мы голодом сидели,
> А как в стене пробили ядра брешь,
> Послали нас на приступ цитадели:
> «Мол, как возьмешь, так досыта поешь».

Однако в этой кампании — если только речь не шла о городах, взятых штурмом и большой кровью, —

Голландская зима

генерал Спинола, чтобы вконец не настроить против себя и без того не слишком дружелюбное население, бесчинства по отношению к мирным жителям пресекал беспощадно. Так что если Бреда когда-нибудь и падет, то на разграбление ее не отдадут, и, стало быть, все жертвы и лишения осаждавших вознаграждены не будут. Солдаты, предвидя, что поживиться не удастся, ходили хмурые и перешептывались в сторонке. Лишь самый последний олух не заметил бы, что налицо все приметы близкого возмущения.

— И потом, насколько я знаю, нам, испанцам, не пристало требовать платы перед боем, — добавил Брагадо.

И это была чистая правда. Денег не было, зато имелось доброе имя: все знали, что испанские полки, очень ревностно оберегавшие свою честь, никогда не бунтовали до сражения, чтобы, не дай бог, не сказали, что они, мол, просто испугались. Случалось им даже приостанавливать уже вовсю полыхавший мятеж и идти в атаку — так бывало и под Ньипортом, и в Алсте. Этим наша нация отличается от швейцарцев, итальянцев, немцев и англичан: если те заявляют: «Пока с долгами не разочтешься, драться не пойдем», то испанцы бунтуют исключительно после победы.

— Я-то думал, что поставлен командовать испанцами, а не чужеземным сбродом.

Эти слова произвели должное действие — солдаты беспокойно заерзали на скамейке, а Гарроте еле слышно выругался. В зеленовато-прозрачных глазах Диего Алатристе мелькнула усмешка, ибо фортель Брагадо оказался поистине чудотворным — ропот за столом стих, и капитан понимающе переглянулся с Алатристе: знай, мол, наших. Еще бы не знать.

— Выходить прямо сейчас, — совсем другим тоном бросил капитан.

Алатристе провел двумя пальцами по усам и оглядел своих товарищей:

— Все слышали?

Солдаты стали собираться: Гарроте — со скрежетом зубовным, прочие — смирясь с необходимостью. Себастьян Копонс, низкорослый, худой, узловатый и твердый, как корневище виноградной лозы, поднялся первым и, не дожидаясь приказа, уже прилаживал на себе боевую сбрую, всем видом своим показывая: заплатят ли жалованье в срок или запоздают, волнует его не больше, чем сокровища шаха персидского. Все, что ни пошлет судьба, он принимал покорно и безропотно, будто переняв этот фатализм у тех самых мавров, с которыми несколько столетий назад рубились его предки. Алатристе видел, как Себастьян надел шляпу и плащ и вышел оповестить товарищей, расквартированных в соседнем доме. Они давно, еще со времен Остенде, служили вместе, были во многих кампаниях, теперь вот попали под Бреду, и за все эти годы Копонс произнес дай бог слов тридцать.

— Ах да, чуть не позабыл! — воскликнул капитан.

Снова взяв со стола кувшин с вином, он поднес его к жаждущим устам, не спуская глаз с хозяйки, которая меж тем принялась убирать со стола. Потом, продолжая пить, свободной рукой извлек из-за па-

Голландская зима

зухи своего колета конверт и протянул его Диего Алатристе:

— Неделю назад пришло.

Письмо было запечатано красным сургучом; буквы на конверте расплылись от дождя. Алатристе прочел на обратной стороне: «От дона Франсиско де Кеведо, постоялый двор Бардисы, Мадрид».

Хозяйка, проходя мимо, будто случайно и не глядя, задела его упругой пышной грудью. Блестели клинки, вдвигаясь в ножны, лоснилась насаленная кожа портупей. Алатристе надел свой нагрудник, медленно затянул ремешки и пряжки, приладил перевязь со шпагой и кинжалом. Слышно было, как щелкают по стеклам дождевые капли.

— Двоих взять, самое малое, — напомнил Брагадо.

Взвод был готов к выходу. Лиц почти не видно — между низко надвинутыми шляпами и залатанными непромокаемыми плащами только усы торчат. Оружие — соответственно обстоятельствам и полученному заданию, то есть никаких тебе пик или мушкетов на сошках, а только простые и добрые изделия толедских, миланских, бискайских оружейников: шпаги и кинжалы. Ну, еще оттопыривались под плащами заткнутые за пояс пистолеты, проку от которых немного — порох отсырел, что и немудрено, если день и ночь льет-поливает. Прихватили по краюхе хлеба и ремни, чтоб вязать голландцев. Пустые, ко всему безразличные глаза, какие бывают у старых солдат перед тем, как в очередной раз попытать судьбу, пока не пришел час возвратиться, в рубцах и шрамах, в отчий край, но не думай, что там ждет тебя койка, чтоб приклонить голову, вино, чтоб согреть кровь, очаг, чтоб испечь хлеба. Это — если вернешься, а не раздобудешь себе семь футов фламандской земельки, где и уснешь ты вечным сном, не переставая тосковать по Испании.

Брагадо отставил порожний кувшин, Диего Алатристе проводил капитана до порога: обошлось без напутствий и прощаний. Капитан взгромоздился на своего тяжеловоза и потрусил вдоль плотины, разминувшись с Копонсом, который как раз шел обратно.

Алатристе чувствовал, что хозяйка неотрывно смотрит на него, однако не обернулся. Не говоря, надолго ли и не навсегда ли уходит, толкнул дверь, вышел наружу, под дождь, и тотчас прохудившиеся подошвы впустили воду, и от пронизавшей до самых костей сырости заныли давние раны. Он вздохнул и зашагал вперед, слыша за спиной, как чавкают по грязи сапоги товарищей. Они двигались к молу, где под ливнем неподвижно, как маленькое и неколебимое каменное изваяние, ждал их Себастьян Копонс.

— Вот жизнь дерьмовая... — вздохнул кто-то.

И без лишних слов испанцы, втянув головы в плечи, завернувшись в отяжелевшие от дождевой воды плащи, растаяли в серой пелене.

От дона Франсиско де Кеведо
дону Диего Алатристе-и-Тенорио,
Картахенский полк. Действующая армия. Фландрия

От всей души уповаю, любезнейший капитан, что письмо сие застанет Вас целым, невредимым и в добром здравии. Я же пишу Вам, едва оправясь от недомогания, вызванного скверным состоянием гуморов моих, которое привело к жару и лихорадке, трепавшей меня на протяжении нескольких суток. Впрочем, теперь, благодарение Богу, мне лучше, и я могу послать Вам свой дружеский привет.

Полагаю, что Вы обретаетесь где-то в окрестностях Бреды: название сей голландской крепости у всех на устах, ибо здесь считают, что от успеха дела зависит судьба нашей монархии и католической веры, и в один голос твердят, что подобных сил не вводили в действие со времен Юлия Цезаря и его Галльских войн. При дворе считают, что крепость обречена и свалится нам в руки как спелый плод, однако немало и тех, кто обвиняет дона Амбросьо Спинолу в непростительной медлительности, прибавляя, что спелый плод, не будучи съеден вовремя, имеет неприятное свойство сгнивать. Так или иначе, памятуя о столь присущей Вам отваге, желаю, чтобы во всех поисках, штурмах, вылазках и прочих самим сатаной измышленных затеях, коими столь обильно беспокойное Ваше ремесло, Вам неизменно сопутствовала удача.

Припоминая, что Вы как-то раз обмолвились, будто война — это чистое дело, я постоянно возвращаюсь мысленно к этому Вашему высказыванию и все больше признаю его правоту. Здесь, в Мадриде, а особенно — при дворе, враг носит не кирасу и шлем, а сутану, мантию или же шелковый колет, и никогда не нападает в лоб, но исключительно — из-за угла. В этом отношении у нас, любезный друг, все обстоит по-прежнему, только хуже. Я все еще надеюсь на добрую волю графа-герцога, однако боюсь, что ее одной недостаточно, ибо у нас, испанцев, скорей иссякнут слезы, нежели поводы их проливать, и даже самые рьяные труды не даруют незрячим — Божий свет, глухим — слово, несмысленным скотам — разумение, а властителям — толику порядочности. В нашей колоде некий белокурый и наделенный могуществом рыцарь остается валетом и никак не станет тем, кем призван стать по праву рождения, тогда как двойки и тройки метят в козырные тузы. Что же касается моих личных дел, то я продолжаю столь же бесконечную, сколь и безнадежную тяжбу по поводу поместья Торре-де-Хуан-Абад, все глубже увязая в затяжных боях с продажным правосудием и ублюдочными его служителями, которых не иначе как за грехи наши послал нам Господь, сочтя, видно, что бесов в аду и без них переизбыток. Честью Вас уверяю, любезнейший капитан, что сроду не видывал сволочей в таком количестве и разнообразии, как теперь, когда я постоянно принужден посещать известное ведомство на площади Провиденсиа. По сему поводу позвольте преподнести Вам сонет, вдохновленный последними и недавними неурядицами:

В твоем суде иного нет резона,
Чем выгода, — паскудная картина.
По морю кляуз ты плывешь, скотина,
За золотым руном резвей Язона.

Нет ни людского для тебя закона,
Ни божьего — ты всё попрал бесчинно.
В исходе тяжбы — веская причина:
К дающему Фемида благосклонна.

Ты правого объявишь виноватым,
Но неподсуден, кто не поскупится.
Чем жировать, глумясь над нашим братом,

Голландская зима

Прими совет истца и очевидца:
Умой-ка руки с Понтием Пилатом
Да поспеши с Иудой удавиться![1]

Первая строка еще не до конца отделана, однако льщу себя надеждой, что сонет Вам придется по вкусу. Прочие же мои дела, не считая стихов и земного правосудия, недурны. Грех жаловаться — звезда Вашего друга Кеведо разгорается все ярче: я снова — желанный гость при дворе и в доме графа-герцога Оливареса, оттого, вероятно, что в последнее время стараюсь держать язык за зубами, а шпагу — в ножнах, перебарывая природное стремление дать волю первому и второму. Однако, согласитесь, надо жить, и зазорно ли мне, в избытке познавшему ссылки, опалы, суды и мрак узилища, заключить с переменчивой Фортуной краткое перемирие? И потому я намерен запомнить каждый день, за который должен поблагодарить сильных мира сего, даже если благодарить будет не за что, и никогда не жаловаться, даже если повод найдется.

Впрочем, уверяя вас, будто шпага моя пребывает в ножнах, я невольно погрешил против истины: не далее как несколько дней назад мне пришлось пустить ее в ход, дабы наказать ударами плашмя — как и подобает поступать с проворовавшимися лакеями и негодяями низкого звания — одного убогого виршеплета, посмевшего опорочить в мерзких стишках нашего великого Сервантеса — да почиет он в вечной славе! — и уверявшего, что «Дон Кихот» — не более чем скверно написанная книга-однодневка, ее идеи неосновательны, литературные достоинства сомнительны, а успех, который она себе стяжала, есть успех случайный, скоропреходящий и лишний раз свиде-

1 Перевод Н.Ванханен

тельствует о невзыскательности и безвкусии читающей публики. Вышепомянутый виршеплет кормится от щедрот негодяя Гонгоры, и этим все сказано. Так вот, однажды вечером, когда я был весьма расположен предаться не столько невинным, сколько винным утехам, и произошла моя встреча с этим его приспешником. Дело было в дверях таверны Лонхиноса, сем гнезде культеранистов, прибежище суетности, средоточии пустословия, кладезе несусветных красивостей; именно там столкнулся я с пасквилянтом и двумя его не менее гнусными спутниками — лиценциатами Эчеваррией и Эрнесто Аялой, этими гадостными гнидами, которые, исходя желчью, твердят на всех углах, что истинная поэзия рождается лишь под пером их кумира Гонгоры, а прелести ее внятны лишь немногим избранным, то бишь — им самим, и поносят на все корки и на всех углах написанное нами, хотя сами неспособны смастерить пустяшный сонет. Я был в ту пору не один, а в обществе герцога де Мединасели и еще нескольких молодых людей хорошего рода — спутники мои, впрочем, скрывали свои лица, — принадлежащих к братству ценителей и почитателей белого «Сан-Мартин-де-Вильяиглесиас», и мы, выражаясь поэтически, дали гонгористам знатную взбучку, сами не понеся ни малейшего урону. А по прибытии блюстителей порядка — беспрепятственно ушли. И ничего нам за это не было.

Коль скоро я завел речь о мерзавцах, упомяну и о столь милом Вашему сердцу Луисе де Алькесаре, который по-прежнему ходит в королевских любимцах, занимается государственными делами и набивает себе мошну с быстротой сверхъестественной. Племянница его, Вам также, вероятно, памятная, превратилась в очаровательную барышню и пожалована во фрейлины ее величества. Ныне

Вы для дядюшки, по счастью, недосягаемы, но по возвращении из Фландрии — держите ухо востро: никто не знает, куда долетит отравленный плевок этой гадины.

Кстати, о гадах. Должен рассказать вам, дражайший мой Диего, что несколько недель назад имел счастие повстречать итальянца, с которым у Вас счеты еще не окончены. Это произошло в квартале Кава-Баха, неподалеку от постоялого двора Лусио, и, если это действительно был Гвальтерио Малатеста, мне показалось, что он находится в добром здравии, из чего я заключаю, что за время, протекшее после беседы с Вами, он вполне оправился. Мгновение итальянец глядел на меня, а затем пошел своей дорогой. Пренеприятнейший субъект, замечу мимоходом: весь в черном с головы до пят, словно в глубочайшем трауре, физиономия побита оспой, а у пояса — неимоверной длины шпага. Из надежных источников мне по секрету сообщили, будто он верховодит в небольшой шайке головорезов, состоящей на жалованье у Алькесара для разного рода темных дел. Предвижу, что дела эти рано или поздно приведут ко встрече с Вами, друг мой, ибо великодушие безнаказанным не останется, и не зря же сказано: «Кто щадит оскорбленного, навлекает на себя его месть».

Я по-прежнему числюсь в завсегдатаях таверны «У Турка», все посетители коей шлют Вам через мое посредство наилучшие пожелания, а хозяйка, Каридад Непруха, — нежный привет: ходят слухи, никем покуда не опровергнутые, будто место Ваше в ее сердце, равно как и квартирка на улице Аркебузы, остаются за Вами. Каридад все так же хороша, а это немало. Мартин Салданья, получивший рану при задержании нескольких проходимцев, стремившихся укрыться в церкви Святого Хинеса, выздоравливает. Как передают, он уложил троих.

Не буду более злоупотреблять Вашим терпением. Прошу лишь засвидетельствовать мое глубокое почтение и нежную приязнь юному Иньиго, который, надо думать, возмужал, деля с Вами Марсовы потехи. Не сочтите за труд напомнить ему мой сонет, где я призываю молодость к благоразумию.

Впрочем, все, что я мог бы сказать по этому поводу, любезный капитан, Вам известно лучше, нежели кому-либо другому.

Храни Вас Бог, друг мой.

Ваш — *Франсиско де Кеведо Вильегас.*

P.S.

Без Вас пусты для меня ступени Сан-Фелипе и театральные залы. Да! Совсем забыл рассказать, что получил письмо от одного молодого человека, которого Вы, должно быть, еще не позабыли: того самого, что один уцелел из всей своей злосчастной семьи. Он сообщает, что, покончив на свой манер с делами в Мадриде, сумел под чужим именем беспрепятственно отплыть в Индии. Думаю, Вас эта новость обрадует.

III

Мятеж

Потом, когда все схлынуло и сгинуло, много рассуждали и толковали о том, можно ли было предотвратить случившееся, однако никто и пальцем для этого не пошевелил. И дело было не в зиме: зима как зима, тем паче что в том году выдалась она не слишком суровой, и снег не выпал, и каналы не замерзли, хотя, конечно, от беспрестанных дождей на божий свет смотреть не хотелось. Прибавьте отсутствие провианта, опустевшие деревни и осадные работы вокруг обложенной Бреды. Однако все это было, так сказать, в порядке вещей, а испанская пехота привыкла стойко и терпеливо сносить все тяготы и трудности солдатского своего ремесла: на то и война. А вот в отношении жалованья дело обстояло иначе: многие наши ветераны, которых во время Двенадцатилетнего перемирия уволили в запас или отставку, нищенствовали по-настоящему и на своей шкуре познали: его величество любит, чтобы за него отдавали жизнь, но если жив останешься — на прожитье подкинет сущие гроши. Так что солдаты, отломавшие десятки кампаний, искалеченные в боях, вынуждены были побираться по городам и весям нашей скаредной отчизны, где блага неизменно достаются одним и тем же — и вовсе не тем, кто не щадя ни крови своей, ни жизни, отстаивает истинную веру купно с достоинством и достоянием своего государя, а потом с быстротой необыкновенной оказывается благополучнейшим образом позабыт, как в землю зарыт. И воинство наше, чуть не столетие кряду сражавшееся с целым миром, теперь и само толком не знало, во имя чего идет в бой — то ли для защиты индульгенций, то ли для того, чтоб мадридский двор, отплясывая на балах, объедаясь на пирах, по-прежнему чувствовал себя властелином всего света. И солдаты не могли даже утешаться тем, что, мол, они — наемники и воюют за деньги, ибо денег им не платили. Они жили впроголодь, а ведь известно, что голод самым пагубным образом воздействует на дисциплину и боевой дух. Снабжение во Фландрию осуществлялось из рук вон скверно, но если прочие полки, включая и набранные из чужестранцев, все же получали какие-то крохи, то наш Картахенский давно позабыл, как они, деньги-то, и выглядят. Не ведаю, отчего так случилось: но ходили упорные разговоры, что наш командир дон Педро де ла Амба чересчур вольно обращается с ассигнованными суммами, и происходят с деньгами темные какие-то истории — то ли еще не дошли, то ли уже все вышли, то ли еще что. Ну, так или иначе, но пятнадцати испанским, валлонским, бургундским, немецким, итальянским полкам, стянутым к Бреде и от-

Мятеж

данным под начало дона Амбросьо Спинолы, было ради чего стараться, а вот картахенцы, стоявшие мелкими отрядами на дальних подступах, держали в смысле денежного содержания строжайший пост и решительно никакого резона воевать не видели. Соответствующим было и настроение, ибо как написал Лопе в своей «Осаде Маастрихта»:

> Солдаты злее натощак?
> Но сколько ж мне еще без пищи
> Шагать в грязи или в пылище,
> Простреленный вздымая стяг?
> Долой пиковый интерес!
> Хоть пикою владею — ну? так!
> Но драться на пустой желудок
> Отказываюсь наотрез!

К этому следует присовокупить, что мы занимали оборону по берегам Остерского канала, то есть на самом острие возможной атаки: известно было, что голландский генерал Мориц Оранский ведет войско на выручку осажденной Бреде, где сидел другой Нассау, Юстин, с сорока шестью ротами голландцев, англичан и французов — сии последние, как вы, вероятно, знаете, никогда не упускали случая нагадить нам, где можно. Армия его католического величества находилась в двенадцати часах марша от ближайших городов, сохранивших верность Филиппу Четвертому, тогда как голландцы — всего в трех-четырех от своих. И Картахенскому полку приказано было принять этот более чем вероятный удар на себя, не дав еретикам зайти в тыл к нашим, сидевшим в траншеях вокруг Бреды. Случись такое, испанцам пришлось бы с позором отступить или принять неравный бой. Ну вот, и дабы не застали их врасплох, сколько-то там взводов — и наш в том числе — выдвинули на это опасное направление, в полевые караулы: при появлении неприятеля им надлежало поднять тревогу, а шансы выжить у них были очень невелики, отчего их так и называли — «пропалые ребята». Выбрали для сего благородного, но погибельного дела роту капитана Брагадо, где люди подобрались тертые, обстрелянные, привычные к превратностям военного счастия и — самое главное — умеющие, зубами и когтями вцепясь в какой-нибудь клочок земли, держаться до последнего, даже оставшись без командиров. Вышло, однако, иначе: чересчур уж доверились наши начальники долготерпению испанских солдат. Впрочем, добавлю справедливости ради, что полковник наш, дон Педро де ла Амба, известный под кличкой «Петлеплёт», сам подлил масла в разгорающийся огонь мятежа, ибо людям его чина и происхождения так себя вести не пристало.

Как сейчас помню: в тот прискорбный день выглянуло ненадолго солнышко, и, хоть грело оно по-голландски, я наслаждался теплом, пристроясь на лавке у дверей и читая с большой для себя пользой и удовольствием книгу, которую дал мне капитан Алатристе, чтобы я в походе не позабыл грамоту. Этот ветхий, покоробившийся от сырости том — первое издание первой части «Хитроумного идальго Дон Кихота Ламанчского», увидевшее свет в типографии Хуана де ла Куэсты в пятом году нового века, то есть всего за шесть лет до того, как подобное же отрадное событие случилось со мной, — чудесное творение славного дона Мигеля де Сервантеса, который и дарованием своим, и злосчастьями был истый испанец: родись он англичанином или французом, иначе сложилась бы его судьба, и слава нашла бы его при жизни, а не за гробом, однако принадлежал этот однорукий гений к окаянной нации, умеющей воздавать лучшим своим сынам лишь посмертные почести — и это еще в лучшем случае. Итак, я упивался приключениями и возвышенным безумием последнего из странствующих рыцарей, и душу мне грело сокровенное знание, коим поделился со мной Диего Алатристе: в тот день, каких немного выпадает в череде столетий, — когда испанские галеры сцепились в проливе Лепанто с громадным турецким флотом, — среди тех, кто сражался с оружием в руках за Испанию, Бога и короля, был и дон Мигель, простой и верный присяге солдат — такой, как Диего Алатристе и мой отец; такой, каким твердо намерен был стать я сам.

А покуда я грелся на солнце и читал «Дон Кихота», время от времени останавливаясь, чтобы прочувствовать и уразуметь мудрые мысли, коими изобилует бессмертный роман. Вы, господа, наверно, помните, что и у меня была собственная Дульсинея, однако любовные мои горести проистекали не от того, что избранница моя мною пренебрегла, а от того, что оказалась коварна: повествуя о прошлых моих приключениях, я уже упоминал об этом. И хотя, попав в сей сладостный капкан, чудом не потерял я честь и самую жизнь, — воспоминание о некоем проклятом талисмане жгло меня огнем, — не сумел я позабыть ни золотистые локоны, ни синие, как мадридские небеса, глаза, ни улыбку, схожую, надо думать, с той, что играла на устах у сатаны, когда при Евином посредстве угощал он Адама пресловутым яблочком. Предмету моей страсти было, вероятно, теперь лет тринадцать-четырнадцать, и, воображая Анхелику при дворе, в окружении пажей и юных расфранченных кавалеров, впервые ощутил я, как вонзается мне в душу черная шпора ревности. Ничто на свете — ни все сильнее бурлящая в жилах младая кровь, ни каждодневные опасности, ни следовавшие за войском маркитантки, ни местные красотки, которым, поверьте, испанцы не были столь ненавистны и противны, как их мужьям, братьям и отцам, — не могло вытравить из моей памяти образ Анхелики де Алькесар.

В этот миг шум и суета отвлекли меня от чтения. Мимо шли солдаты, торопясь к месту сбора — на *гласис*[1] у Аудкерка, недавно взятого нами. В этом городке, расположенном к северо-западу от Бреды, стоял наш гарнизон. Подхватив аркебузы Алатристе и Мендьеты, туго набитый ранец из телячьей кожи и еще несколько пороховниц, я поравнялся с Хайме Корреасом, нагруженным, как вьючный мул, двумя короткими пиками, медным шлемом, весившим, наверно, фунтов двадцать, да еще мушкетом, и по дороге — до Аудкерка было не менее мили — узнал предысторию от товарища своего, служившего во

---

1 Гласис (от фр. *glacis*) — пологая земляная насыпь впереди наружного рва крепости, долговременного сооружения или полевого укрепления.

взводе прапорщика Кото. Оказалось, что накануне вечером начальство, крайне раздосадованное сквернейшим состоянием дисциплины, назначило на сегодня строевой смотр и вот по какому поводу. Возникла надобность укрепить Аудкерк, и сие ответственное фортификационное поручение попытались возложить на солдат, посулив им за это денег, которые ввиду чудовищной дороговизны съестных припасов и задержки жалованья пришлись бы очень кстати. И кое-кто из наших согласился на такой приработок, однако многие возмутились и вполне резонно заявили: если деньги есть, пусть начальство сперва выдаст что положено, разочтется с долгами, а уж потом прельщает дополнительной оплатой, и вообще почему это надо — в буквальном смысле — землю рыть, чтобы получить причитающееся солдату по закону и справедливости, и почему за свои кровные он еще должен махать лопатой да таскать фашины, приводя в божеский вид всяческие люнеты и апроши?! Нет уж, лучше потуже затянуть ремешок, нежели кормиться таким недостойным манером, когда, можно сказать, лбами сталкиваются голод и честь, ибо истый дворянин — а других в солдаты не брали — лучше подохнет, не уронив достоинства, чем сохранит жизнь посредством кирки и лопаты. Тут возникла перепалка, произошел обмен резкими словами, и в пылу спора какой-то сержант нанес оскорбление действием аркебузиру из роты капитана Торральбы; аркебузир же не унялся, а совсем наоборот — вдвоем еще с одним солдатом накинулся на сержанта, хоть у того в руках была алебарда как знак его звания, и пырнул его несколько раз шпагой, лишь по счастливой случайности не отправив в царствие небесное. Теперь виновных ожидало примерное наказание, и полковник приказал, чтобы все, свободные от караулов, при сем присутствовали.

Покуда шли мы к месту сбора, в нашем взводе возникли разногласия относительно происходящего и завязалась оживленная пря: сильнее всех кипятился Курро Гарроте, полнейшее безразличие по своему обыкновению выказывал Себастьян Копонс. Я же время от времени с тревогой поглядывал на моего хозяина, тщась по виду определить, он-то что думает о происходящем, однако капитан хранил молчание и словно ничего не слышал, а если к нему обращались — отвечал односложно. Мерно покачивалась в такт шагам свисавшая из-под пелерины шпага, лицо под сенью широкополой шляпы было угрюмо.

— Повесить их! — сказал дон Педро.

Голос его звучал отрывисто и сурово в мертвой тишине, повисшей над эспланадой: слышно было бы, как муха пролетит, если бы, ясное дело, зимой летали мухи. Тысяча двести солдат выстроились пополуротно, образуя замкнутый с трех сторон прямоугольник: в центре — латники, на флангах — аркебузиры и копейщики. В иных обстоятельствах подобное зрелище радовало бы глаз: хотя солдаты, замершие в шеренгах, одеты были скверно: у многих латаная-перелатаная одежонка превратилась в сущие лохмотья, — а обуты еще хуже, однако амуниция была в порядке и в полном соответствии с уставом насалена и навощена, тогда как шлемы, кирасы, наконечники пик, стволы аркебуз — вычищены на совесть и надраены до зеркального блеска. *Mucrone corusco*[1], заметил бы падре Салануэва, наш полковой капеллан, случись ему в тот день остаться трезвым. Чтобы в горячке боя различать своих, все носили вылинявшие красные перевязи или — в крайнем случае — вышитый на колете красный крест Св. Андрея. На четвертой, открытой стороне этого каре, под знаменем полка, в окружении свиты и шести немецких алебардщиков личной охраны высился на коне дон Педро де ла Амба: непокрытая голова горделиво вскинута; кружевной воротник венчает украшенную чеканкой кирасу из доброй миланской стали; у пояса — шпага с золотыми насечками; левая рука, затянутая в замшевую перчатку, уперта в бедро, правая держит поводья.

— На сухом дереве!

Дернув за узду так, что лошадь заплясала, полковник обвел взглядом все свои двенадцать рот — не осмелится ли кто оспорить приказ, обрекающий приговоренных не просто на казнь, а на смерть позорную, в петле, да еще и на голом, не украшенном зеленой листвой суку. Вместе с прочими пажами я держался чуть в стороне, не смешиваясь, однако, с местными жительницами, которые в испуге, пересиленном любопытством, взирали на это зрелище. Взвод Диего Алатристе стоял в нескольких шагах, и до меня долетал приглушенный ропот, поднявшийся в последней шеренге. Что же касается моего хозя-

---

1   Вергилий, «Энеида», II, 333: «Строем стоят с обнаженным мечом, сверкая клинками» (*перевод С. Ошерова*).

ина, то он сохранял полнейшее бесстрастие и не сводил глаз с Петлеплёта.

В ту пору дону Педро де ла Амбе было, верно, лет пятьдесят. Сей быстроглазый уроженец Вальядолида был тщедушен, чтобы не сказать «мозгляв», скор на решения, весьма опытен в военном искусстве, однако не пользовался уважением в войсках. Ходили слухи, будто он подвержен запорам, проистекающим от неправильного обращения *гуморов* в организме, и, как следствие, постоянно пребывает в крайне раздраженном расположении духа. Наш главнокомандующий дон Спинола к нему благоволил, в Мадриде имелись у него могущественные покровители; отличился он еще в пфальцскую кампанию, а после того как в битве при Флёрюсе дону Энрике Монсону оторвало ногу, принял Картахенский полк. Прозвище Петлеплёт не с ветру было взято: дон Педро, насаждая дисциплину уже не палочную, но веревочную, мог бы повторить вслед за императором Тиберием: «Пусть ненавидят, лишь бы боялись». Остается добавить, что в сражениях он выказывал бесстрашие, опасность презирал не меньше, чем собственных солдат — я уже упоминал, что личная охрана у него была из немцев-алебардщиков — и разбирался в военном деле. Кроме того, был он алчен до денег, скуп на милости, зато наказания отвешивал полной мерой.

Оба злоумышленника выслушали приговор спокойно — видно, ожидали подобного развития событий и сами знали, что за продырявленного сержанта не помилуют. Со скрученными за спиной руками, с непокрытыми головами стояли они перед строем в окружении конвойных. Один — как раз тот, кто первым полез на сержанта, — седой, пышноусый, изборожденный шрамами ветеран, держался на удивление достойно и смотрел все время куда-то вверх, словно происходящее никак его не касалось. Второй — помоложе, худощавый, с подстриженной бородкой — постоянно вертел головой, то оборачиваясь к товарищам, то потупляя взгляд, то устремляя его куда-то под копыта коня дона Педро, но, впрочем, тоже не терял присутствия духа.

По знаку профоса ударили барабаны, а личный горнист полковника протрубил сигнал.

— Хотите что-нибудь сказать напоследок?

Вдоль строя прошумело некое дуновение, и густой частокол копий склонился вперед, будто колосья под ветром: солдаты навострили уши. Все мы увидели, как профос, подойдя к осужденным, выслушал старшего, вопросительно взглянул на дона Педро, и тот в знак согласия кивнул — но это была не снисходительность, а соблюдение церемониала. Тогда в тишине седоголовый сказал, что он — старый солдат и что, как и товарищ его, до сего дня служил честно, исполнял свой долг и смерти не боится, однако загнуться от пеньковой хворобы считает для себя незаслуженным оскорблением и порухой чести своей, а потому, раз уж пришла пора отчаливать, просит не вешать их с товарищем, как сельских конокрадов, на сухом суку, на зеленой ветви или еще где, но расщедриться на две аркебузные пули, причитающиеся им по праву испанцев и воинов. А в видах сбережения огневого припаса, коего всегда нехватка, пусть господин полковник воспользуется их собственными зарядами — пулями, отлитыми из наилучшего, в Эскомбрерасе добытого свинца, и порохом, благо того и другого в их патронных сумках еще в избытке, а там, куда они с товарищем отправляются, едва ли в чем подобном возникнет нужда. Зато не жалко зажиленного за полгода жалованья, ибо на том свете, каким бы манером ни переселяешься туда, здешние деньги не ходят.

Произнеся все это, ветеран пожал плечами, как бы показывая, что покоряется своей участи, и бестрепетно сплюнул себе под ноги. Второй сделал то же самое, и более никто не произнес ни слова. Последовало довольно продолжительное молчание, прерванное доном Педро, которого, как видно, не убедили приведенные доводы. «Вешать!» — непреклонно раздалось с высоты седла. Но тут в шеренгах все громче зазвучал возмущенный ропот, многие солдаты, сломав строй, выбежали из рядов, и усилия капитанов и сержантов навести порядок желаемого действия не произвели. Я же, взиравший на эту сумятицу с разинутым ртом, обернулся к своему хозяину, чтобы понять — он-то за кого? И обнаружил, что Алатристе медленно и едва заметно потряхивает головой, словно пытаясь избавиться от наваждения — все это уже было, и не однажды.

Да, мятежи во Фландрии порождались скверной дисциплиной, а та, в свою очередь, — безобразным управлением, и зловредная эта болячка, вспухая то в отложившихся провинциях, то в тех, которые еще сохраняли верность короне, сильно подрывала престиж испанской монархии, терпевшей от них ущерб больший, нежели от военных поражений. В ту пору, когда я начал службу, мятежи стали единственным способом получить жалованье, и положение еще усугублялось тем, что испанский солдат дезертировать не мог, ибо вокруг него было враждебное население; враждебным же оно становилось потому, что обращался он с ним как с врагом. И вот, чтобы вернуть себе то, что задолжала им казна, восставшие брали штурмом какой-нибудь город и, заняв оборону, пускали его на поток и разорение. Справедливости ради отмечу все же, что не мы одни, остервенясь от собственных страданий, предавали города огню и мечу: тем же самым занимались валлонские, итальянские, немецкие полки, которые еще и бессовестно продавали противнику занятые ими форты, чего никогда не позволяли себе испанцы, удерживаемые от сей гнусности стыдом и заботой о пресловутом добром имени. Потому что одно дело — резня и грабеж, возмещающий недоплаченное жалованье, и совсем другое — я, черт возьми, не берусь судить, лучше оно или хуже, а просто говорю: «другое» — низкое вероломство. Доходило до смешного:, когда под Камбрэ стало совсем туго, граф де Фуэнтес умильно и уважительно обратился к мятежникам с покорнейшей просьбой помочь, и взбунтовавшееся войско, вмиг став послушным начальству и грозным для врага, в безупречном порядке выступило и городом овладело. А дело при Ньипорте, когда опять же мятежники вынесли на себе основную тяжесть сражения, в которое ввязались потому лишь, что не смогли отказать даме — инфанте Кларе-Евгении — позвавшей их на выручку? А как тут не вспомнить дело при Алсте, что на востоке Фландрии, когда бунтовщики отказались принять условия, предложенные им лично графом Мансфельдом[1], и пропустить без боя бесчисленные голландские полки, в сем случае наголову разгромившие бы войска нашего государя? Да, это были те самые испанцы, которые, добившись наконец жалованья да обнаружив, что им сильно недодано, заявили, что не возьмут ни единого мараведи и воевать не пойдут, пропади она пропадом, Фландрия эта вместе со всей Европой, — и тут вдруг узнали: в Антверпене шесть тысяч голландских солдат и четырнадцать тысяч вооруженных горожан вот-вот выпустят кишки ста тридцати подданным нашего короля, засевшим в замке, — тотчас подхватились, к трем утра добрались до берега Шельды, форсировали ее вплавь и на чем пришлось, украсили свои шляпы и шлемы зелеными ветвями, знаменовавшими грядущую победу, и поклялись, что либо отобедают в царствии небесном, либо ужинать будут в Антверпене. Ну, преклонили колени на контрэскарпе, прапорщик Хуан де Наваррете взмахнул знаменем, и, гаркнув единой глоткой «Испания и Сантьяго!», они ворвались на голландские укрепления, перекололи и перестреляли всех, кто попался им под руку, и клятву свою сдержали — вышепомянутый прапорщик и с ним еще четырнадцать человек попали на вечерю к Господу нашему, ну, или где там угощают павших смертью храбрых, прочие же и в самом деле отужинали в за-

---

1 Граф Эрнст фон Мансфельд (1580–1626) — видный участник Тридцатилетней войны, сражался на стороне протестантов.

Мятеж

хваченном Антверпене. Истинно, истинно вам говорю, господа: ничего нет в нашей бедной Испании — ни правосудия, ни разумного правления, ни честных государственных мужей, ни венценосцев, достойных своих венцов, ничего нет и не было, кроме верноподданных, всегда готовых позабыть, что живут в нищете, забросе и несправедливости, стиснуть зубы, обнажить шпагу и — ну, ничего не попишешь! — драться за честь страны. Ведь в конце концов, разве честь эта зависит не от чести каждого ее подданного?

Но вернемся в Аудкерк. То был первый мятеж из многих, которые пришлось мне наблюдать за двадцать лет службы, приведшей меня в конце концов под Рокруа, когда солнце Испании закатилось во Фландрии. А в ту эпоху, о которой я веду рассказ, возмущение давно уже — со времен великого императора Карла — стало обычным делом и превратилось во всем известный и неукоснительно исполняемый ритуал. Вот и сейчас — раздались, как полагается, крики «Жалованье! Жалованье!» и «Мятеж! Мятеж!», и первыми в заварушку встряли солдаты из роты капитана Торральбы, где служили приговоренные. Отметить следует, что поскольку ни предварительного сговора, ни вожаков не было и в помине и все происходило, так сказать, стихийно, то одни склонны были все же соблюдать дисциплину, другие же призывали к открытому неповиновению. Полковника нашего подвел мерзкий нрав. Будь он человеком более гибким, помазал бы, как говорится, сладеньким и, глядишь, утихомирил бы солдат, произнеся те слова, каких от него ждали, хотя, ей-богу, не знаю, можно ли словами заполнить пустой карман, а все же, наверно, попытаться стоит. Ну, сказал бы там: «Земляки! Господа солдаты! Дети мои!» — или что-то в этом роде. Находил же такие слова герцог Альба, или дон Луис де Рекесенс[1], или Алессандро Фарнезе, а ведь сии военачальники твердокаменностью не уступали дону Педро и солдат своих презирали ничуть не меньше. А Петлеплёт лишний раз доказал, что заслуживает своей клички и плевать ему на все. Профосу и немцам-телохранителям он велел вздернуть приговоренных на ближайшем дереве — все равно, сухом или зеленом: тут уж не до того, — а самой надежной роте аркебузиров, командиром коей по традиции был, — запалить фитили, забить пулю в ствол и выдвинуться на середину. И эти сто с лишним человек, которые тоже давно не получали жалованья, зато пользовались разного рода поблажками и льготами, повиновались беспрекословно, отчего обстановка накалилась еще больше.

На самом деле бунтовать хотела едва ли четвертая часть картахенцев, однако в каждом взводе нашлись горячие головы, зазвучали призывы к неповиновению, и многие впали в нерешительность. В нашем, к примеру, взводе закоперщиком был, ясное дело, Курро Гарроте, личным примером увлекший за собой товарищей, и потому, несмотря на все усилия капитана Брагадо, строй был сломан. Мы, пажи, — как можно было пропустить такое? — тотчас заме-

---

1   Луис де Рекесенс-и-Суньига (1528–1576) — испанский военачальник и государственный деятель; губернатор Нидерландов в 1573 г., когда там началось восстание.

Мятеж

шались в толпу солдат, дравших глотку на всех наречиях Пиренейского полуострова. Кое-где уже мелькали обнаженные клинки. Как всегда бывает, дала себя знать давняя рознь, и валенсианцы тотчас схлестнулись с андалузцами, леонцы — с кастильцами, тогда как галисийцы, каталонцы, баски и арагонцы остались сами за себя и против всех, а немногочисленные португальцы сбились в кучку в сторонке. Так что не нашлось хотя бы двух королевств или провинций, которые оказались бы заодно, и, окидывая мысленным взором нашу историю, я могу объяснить успех Реконкисты[1] тем лишь, что и мавры, наверно, тоже были испанцами. А капитан Брагадо с пистолетом в одной руке, с кинжалом в другой рьяно да тщетно пытался навести порядок при посредстве прапорщика Кото и подпрапорщика Минайи, державшего в руках ротное знамя. Тут от одной роты к другой начал перепархивать старинный клич «Офицеров — вон!», весьма красноречиво подчеркивавший особенность всех подобных возмущений: дело в том, что солдаты, чрезвычайно тщеславившиеся этим своим званием, неотъемлемым от дворянского достоинства, неизменно давали понять, что-де бунтуют против своих начальников, а власть нашего католического величества признают безоговорочно. И вот, дабы власть эта не потерпела ущерба, а мятежники в случае успеха не запятнали свою честь, по негласному соглашению между рядовыми и офицерами сии последние вместе со знаменами и с теми, кто не желал примкнуть к основной

---

1 Реконкиста — продолжавшийся в течение семи веков процесс освобождения Пиренейского полуострова от мавров.

массе, выходили из рядов. Таким образом, офицеры и знамена сохраняли свое достоинство, взбунтовавшаяся часть — пресловутое доброе имя, а мятежники, добившись исполнения своих требований, могли дисциплинированно вернуться под эгиду власти, которую они, говоря строго, и не собирались ниспровергать. Никому не хотелось повторения истории с Лейванским полком, когда после мятежа вышел приказ расформировать его, и прапорщики со слезами на глазах ломали древки знамен, а полотнища сжигали, чтоб не отдавать на поругание, и старые, покрытые шрамами солдаты в отчаянии рвали мундиры на груди, и капитаны швыряли наземь свои эспонтоны[1] — и все это множество заматерелых грозных вояк ревмя ревело от стыда и бесчестья.

И вот с большой неохотой покинули строй капитан Брагадо, знаменщики и сержанты, а за ними потянулся кое-кто из капралов и рядовых. Мой приятель Хайме Корреас, пребывая в полнейшем упоении от всего происходящего, носился повсюду и даже вопил это самое насчет того, что офицеров — вон. Увлеченный его примером, я стал вторить ему, однако осекся, увидав, что офицеры и в самом деле выходят из строя. Ну а Диего Алатристе, опираясь на ствол аркебузы, с очень значительным и хмурым видом стоял совсем неподалеку от меня. Никто из взвода не трогался с места и не произносил ни слова — надрывался лишь Гарроте, успевший стакнуться с единомышленниками. Наконец, после того, как офи-

---

1 Эспонтон — короткое копье пехотных офицеров в XVII–XVIII вв.

церы вышли из строя, мой хозяин обернулся к Мендьете, Ривасу и Льопу: те пожали плечами и без дальнейших раздумий примкнули к мятежникам. Копонс же, никого не уговаривая, последовал за офицерами. Алатристе вздохнул, вскинул аркебузу на плечо и собрался уж было сделать то же самое, но тут, заметив, что я в восторге от того, что действую заодно с настоящими солдатами и явно не собираюсь никуда уходить, довольно крепко дал мне по шее и повел за собой.

— Куда конь с копытом, туда и рак с клешней, — сказал он.

И с этими словами неторопливо зашагал прочь, а мятежники расступались, давая ему дорогу, и никто не осмелился задержать его или упрекнуть. Так вместе со мной оказался он среди покинувших строй — было их человек десять-двенадцать во главе с капитаном Брагадо — но, подобно тихому и безмолвному Себастьяну Копонсу, которому словно бы вообще ни до чего не было дела, не примкнул к ним, умудрился и здесь держаться наособицу, остановясь на полдороге между ними и остальной ротой. Он снова упер приклад аркебузы в землю, взялся обеими руками за ствол и устремил на происходящее бесстрастный взгляд голубовато-льдистых глаз из-под шляпы.

Петлеплёт же на попятный не пошел. Его немцы все ж повесили приговоренных, невзирая на то, что пламя мятежа разгоралось не на шутку. Из двенадцати рот Картахенского полка примерно треть отказалась повиноваться дону Педро, и мятежники с криками и угрозами стали сбиваться в кучу. Грянул неизвестно кем произведенный и никого не задевший выстрел. Раздались командные выкрики, рассыпалась барабанная дробь, запели горны, Петлеплёт, отдавая распоряжения, проскакал по эспланаде из конца в конец, и я в очередной раз мог убедиться, что подлость смелости не помеха, ибо он представлял собой превосходную мишень: любой из мятежников выстрелом из аркебузы преспокойно мог его ссадить. Ну, стало быть, с нескрываемой неохотой, через пень, как говорится, колоду «верные» выдвинулись и выстроились напротив мятежников. Снова затрещали барабаны. Я терся возле Алатристе и Копонса, а те держались чуть поодаль от остальных: услышав приказ и убедившись, что полк, взяв ружье под курок и запалив фитили, двинулся на мятежников, оба ветерана разом положили наземь свои аркебузы, сняли перевязи — поскольку висели на них ровно двенадцать пороховниц, их у нас называли «апостолы» — и наступать вслед за своей ротой пошли безоружными.

Сроду не видал ничего подобного. Когда «верные» развернулись в боевой порядок, мятежники — всего их набралось около четырех рот — тоже стали торопливо строиться: копейщики — посередке, аркебузиры — на флангах, причем за отсутствием офицеров распоряжались там капралы, а то и рядовые. Опыт и выучка внятно говорили мятежникам, что разброд обернется для них гибелью, а спасти — вот ведь парадоксы военного искусства! — может только дисциплина. И потому они безо всякого замешательства и очень споро выполняли все эволюции, и каждый занимал положенное ему в бою место, так что вскоре и мы почуяли запах тлеющих аркебузных фитилей, увидели, как утвердились на земле сошки готовых к стрельбе мушкетов.

Полковник жаждал крови и покорности. Приговоренные уже висели на суку, и, сделав свое дело, немцы из личной охраны — белесые, здоровенные и бесчувственные, как говяжьи оковалки, — воздев алебарды, окружили дона Педро. А тот отдал новый приказ, и опять зазвучали трубы, ударили барабаны и запели флейты. Петлеплёт, все так же упирая правую руку в бедро, наблюдал, как верные ему роты двинулись на мятежников.

— По-о-о-лк! Смиирно!

И все замерло. Мятежники и «верные» стояли шагах примерно в тридцати друг от друга, выставив пики и взяв аркебузы «на руку». Знамена, спасенные от бесчестья, собрали в центре каре, и среди солдат, их охранявших, находился и ваш покорный слуга. Я держался поблизости от Алатристе, а тот стоял между Себастьяном Копонсом, подпрапорщиком Минайей и всеми прочими, не решившимися примкнуть к бунтовщикам, и ничто не указывало, что он намерен сойтись в смертельной схватке со своими однополчанами. Аркебузы нет, шпага в ножнах, руки заложены за ременный пояс — капитан казался сторонним наблюдателем.

— По-о-о-лк! За-ря-жай!

По рядам прошел металлический стук, поплыл сероватый дымок — аркебузиры насыпали на полку порох и запалили фитили. Из-под шляп и шлемов глядели на меня нахмуренные, небритые, обветренные, покрытые рубцами и шрамами лица тех, кто готовился противостоять нам. На мгновение они вскинули аркебузы, а латники в первой шеренге выставили копья, но тотчас же послышались крики негодования и протеста — «Благоразумие, сеньоры, благоразумие!» — и мятежники вновь опустили оружие, давая понять, что не направят его против своих. Все взоры обратились к полковнику, и голос его разнесся над эспланадой:

— Сеньор Идьякес! Приведите этих людей к повиновению королю!

Все это было чистейшей воды проформой, а сам Идьякес в былые времена принимал участие не в одном мятеже, которые случались и прежде, а особенно часто — в 98-м году минувшего столетия, когда половину Фландрии потеряли мы из-за того, что солдатам не платили жалованья, и солдаты бунтовали. И потому, кратко и сухо передав мятежникам требования полковника, он не стал дожидаться ответа, а вернулся к нам. А мятежники придали этому не больше значения, чем Идьякес, хором закричав: «Жалованье! Жалованье!» После чего надменно высившийся на коне дон Педро, у которого сердце было потверже его чеканной кирасы, взмахнул рукой:

— На изготовку!

Аркебузиры — щека к прикладу, палец на спусковом крючке — дунули на тлеющие фитили. Тяжелые мушкеты на сошках уставились дулами в сторону мятежников, а те беспокойно заметались, не решаясь, однако, на ответные враждебные действия.

— Целься!

Мятеж

Все слышали эту команду; и, хотя кое-кто из мятежников попятился, должен отметить — большинство не дрогнуло под наведенными дулами. Я смотрел на Алатристе — хозяин мой, как, впрочем, и те, кто целился в мятежников, и те, кто ждал залпа, не сводил глаз с Идьякеса, Идьякес же — с господина полковника. А вот он не смотрел ни на кого, и вид у него был такой, словно он занимается неким смертельно опротивевшим делом. Вскинутая рука Петлеплёта уже готова была опуститься, как все мы увидели — ну, или нам это померещилось: Идьякес едва заметно мотнул головой, чуть-чуть, говорю, качнул ею из стороны в сторону, так что это и движением-то не назовешь, и потому, когда взялись допрашивать очевидцев, никто не поручился бы, что все это было на самом деле. И по этому знаку в тот самый миг, когда дон Педро крикнул: «Пли!», восемь рот разом побросали свои копья, аркебузы и мушкеты — у кого что было — на землю.

IV

Ветераны

Чтобы прекратить мятеж, потребовались трехдневные переговоры, выплата жалованья за три месяца и приезд главнокомандующего дона Амбросьо Спинолы. И все эти три дня картахенцы демонстрировали поистине железную дисциплину: все знамена и все офицеры были собраны в самом Аудкерке, а взбунтовавшийся полк занял оборону за городскими воротами. Говорю же — никогда в испанской армии не бывает порядка образцовей, чем во время бунта. Усилены были передовые дозоры, с тем чтобы голландцы, воспользовавшись смутой, не нагрянули врасплох. Солдаты несли службу исправно, подчинялись приказам новоизбранных командиров беспрекословно и не стали возражать, даже когда тяга к дисциплине взлетела до таких высот, как скорый и правый суд над пятерыми картахенцами, без спросу решившими малость пошерстить окрестные дома. Местные принесли жалобы, и высшая инстанция — однополчане этих же злоумышленни-

Ветераны

ков — поставила всех пятерых к стенке, а вернее, к каменной ограде сельского кладбища, где и обрели они вечный покой. На самом-то деле осужденных сначала было четверо: пятым оказался солдат, которому с товарищем вдвоем за не столь тяжкие преступления должны были отрезать уши, но он в самых отборных выражениях позволил себе опротестовать сравнительно мягкий приговор, утверждая, что природному идальго и старому христианину лучше смерть, чем такой позор. И суд, в отличие от нашего полковника оказавшийся не чужд понятиям о чести, оценил такую щепетильность, внял доводам обвиняемого, уши оставил, а жизнь забрал: и ох, не пожалел ли о неравноценном этом обмене наш взыскательный дворянин, когда его — при обоих ушах — повели расстреливать?

Тогда-то я и увидал впервые дона Амбросьо Спинолу-и-Гримальди, маркиза Бальбасского, испанского гранда и нашего главнокомандующего, и был он точно таков — высокие замшевые сапоги, вороненые с золотой насечкой доспехи, брабантские кружева, обрамляющие латный нашейник, красная лента на груди, — каким запечатлела его чудотворная кисть Диего Веласкеса на бессмертном полотне, где полководец, держа в левой руке жезл, правой ободряюще треплет по плечу склоняющегося пред ним противника; о картине этой, впрочем, будет в свое время рассказано — мною, разумеется, ибо не кто иной как ваш, господа, покорный слуга несколько лет спустя предоставил живописцу все подробности, необходимые, чтобы сделать это событие достоянием Истории, ничем не погрешив против Истины. Но это все будет потом, а покуда шел дону Амбросьо пятьдесят пятый или пятьдесят шестой год, был он сухощав и тонок в кости, лицо имел худое и бледное, голова и борода уже сильно серебрились. В душе сего уроженца Генуи, покинувшего отчий край ради службы государям Испании по душевной склонности, твердость причудливо сочеталась с изворотливостью. Воин терпеливый и удачливый, он не обладал, как теперь принято говорить, *харизмой* железного герцога Альбы, не был столь ярок и причудлив, как иные из его предшественников, а недоброжелатели при дворе, число коих увеличивалось с каждой новой его победой — в нашей отчизне по-другому быть не может, — считали Спинолу чужаком-честолюбцем. Как бы то ни было, именно под его водительством одержала испанская армия наиглавнейшие свои победы в Пфальце и во Фландрии, ибо дон Амбросьо, ради достижения этой цели не жалея собственного немалого состояния, закладывал родовые имения, чтобы выплачивать солдатам жалованье. Замечу в скобках, что родной его брат Федерико погиб в морском сражении с голландскими мятежниками. В те годы полководческая слава дона Амбросьо гремела по всему миру, так что даже главнокомандующий неприятельской армией Мориц Оранский, будучи спрошен, кто сейчас, по его мнению, лучший военачальник, принужден был ответить: «Спинола — второй». Помимо всего прочего, наш дон Амбросьо обладал непоказной отвагой, еще до Двенадцатилетнего перемирия снискавшей ему уважение в войсках. Засвидетельствовать ее мог бы и Диего Алатристе, своими глазами видевший ге-

Ветераны

нерала в деле — и под Экло, и при осаде Остенде, когда дон Амбросьо так рьяно лез в самую гущу рукопашной схватки, что солдаты отказались наступать, пока он не уйдет из-под огня.

И вот в тот день, личным вмешательством положив конец мятежу, вышел Спинола из шатра, где проводил переговоры. За ним следовала его свита и понуро шагал наш полковник, кусая усы с досады, что ему не дали повесить, как он предлагал, каждого десятого картахенца. Но дон Амбросьо благодаря своему хитроумию и благожелательности уладил дело — и объявил его конченным. Полк получил назад знамена и офицеров, а перед столиками с казначеями начали выстраиваться длинные очереди солдат, алчущих жалованья, которое выплачивалось им из личных средств генерала, тогда как вокруг лагеря уже роились маркитанты, проститутки, торговцы всякой всячиной и прочие паразиты, твердо намеренные урвать и свою долю.

Диего Алатристе был в числе тех, кто нес караул вокруг шатра. И потому, когда трубач подал сигнал и дон Амбросьо, выйдя наружу, на миг остановился, чтобы глаза привыкли к свету, мой хозяин оказался в непосредственной близости от генерала. По обыкновению старых солдат, он, как и многие товарищи его, вычистил свою штопаную одежонку, оружие и даже шляпу — отчего, впрочем, не сделалась она менее дырявой, — показав тем самым, что мятеж мятежом, а испанская пехота должна себя соблюдать при любых обстоятельствах, и, судя по всему, Амбросьо Спинола оценил это, когда, блистая орденом Золотого Руна на груди, вышел из шатра в сопровождении отборных аркебузиров-телохранителей, свиты, штабных, дона Педро, Идьякеса, капитанов и двинулся медленным шагом сквозь густую толпу солдат, которые давали ему дорогу и кричали «ура», одушевленные его присутствием, а главное, — тем, что им наконец заплатят. Ну и чтобы показать, как по-разному относятся они к нему и к дону Педро, который шел следом за главнокомандующим, предаваясь горестным раздумьям: как же это так он никого не вздернул? И, вероятно, переживая вдобавок жестокий разнос, учиненный ему Спинолой с глазу на глаз, но ставший известным всем: главнокомандующий пообещал снять его с должности, если не будет беречь своих солдат как зеницу ока. Так, по крайней мере, уверяла молва, но лично я сомневаюсь насчет истинности этих слов, и, раз уж зашла у нас речь об органах зрения, та́к скажу: начальник начальнику глаз не выклюет, и каждому известно, что все они, каковы бы ни были — добродушны или жестокосердны, хитроумны или тупоголовы — одним миром мазаны, ломаного гроша не стоит для них солдатская жизнь, и нужны мы им исключительно для того, чтобы нашей кровью добывать себе новые лавры. Однако в тот день картахенцы, радуясь благополучному исходу, готовы были взять на веру даже самый несуразный слух. И шел дон Амбросьо, отечески улыбаясь направо и налево, приговаривая «молодцы, ребята» и «вольно, вольно, господа», взмахом жезла отвечая на приветствия, а иногда, увидев знакомого офицера или солдата из старослужащих, даже вступал с ними в приятную беседу. Короче говоря, делал то, что положено делать в таких случаях. И, видит бог, получалось у него это превосходно.

Заметил он и капитана Алатристе с товарищами, которые держались чуть поодаль, наблюдая за этим шествием. Не заметить их было трудно, а не восхититься — просто невозможно: я же говорил, что весь взвод моего хозяина состоял из заматерелых вояк — все вот с такими усищами, лица в рубцах да шрамах выдублены ветром, зноем, стужей, все при полной амуниции: на груди перекрещиваются патронташ, увешанный «двенадцатью апостолами», и перевязь-портупея со шпагой и кинжалом, в руке — мушкет или аркебуза, и такой у них был боевой вид, что всякие сомнения пропадали — когда под раскаты барабанной дроби они примутся за свое смертоубийственное дело, ни голландец, ни турок, ни сам черт с рогами не совладает с ними. Да, так о чем я? Ну, и вот Спинола, говорю, увидел их, пришел в восхищение и, улыбнувшись им, собрался уж было проследовать дальше, но тут узнал моего хозяина и, приостановясь, молвил ему со своим мягким итальянским выговором:

— Ба! Капитан Алатристе, это вы? Я-то думал, вы остались под Флёрюсом.

Алатристе обнажил голову, слегка растрепав при этом волосы, и вытянулся перед генералом — в левой руке шляпа, правая покоится на раструбе аркебузного дула.

— К тому шло, ваше превосходительство. Но, должно быть, еще не пробил мой час.

Дон Амбросьо внимательно глядел в его обветренное, покрытое шрамами лицо. Первая их беседа состоялась лет двадцать назад, когда испанцы пытались выручить своих, застрявших под Экло, и генерал, застигнутый кавалерийской атакой противника, оказался в сомкнутых шеренгах отступающего отряда. Плечом к плечу с Алатристе и другими солдатами прославленный генуэзец, невзирая на свой чин, принужден был целый день драться врукопашную, отбиваясь от наседающих голландцев. Ни он, ни мой хозяин не забыли этот день.

— Вижу. Дон Гонсало де Кордоба говорил мне, что дело под Флёрюсом было жаркое и что вы все держались молодцами.

— Чистую правду сказал вам дон Гонсало. Почти никто из моих товарищей оттуда не ушел.

Словно припомнив что-то, Спинола погладил эспаньолку:

— Позвольте, разве я не произвел вас в сержанты?

Алатристе медленно кивнул:

— Еще в шестьсот восемнадцатом году, ваше превосходительство.

— Так почему же вы опять рядовой?

— Год спустя меня разжаловали. Поединок.

— Да? И что же?

— С прапорщиком.

— Вы его убили?

— Не без того.

Дон Амбросьо, переглянувшись с офицерами своей свиты, немного призадумался над этим ответом, потом нахмурился и уже сделал шаг вперед, собираясь идти дальше.

— Странно, черт возьми, что вас не повесили.

Ветераны

— Тут как раз начался мятеж в Маастрихте, — невозмутимо произнес Алатристе.

Генерал остановился.

— А-а, помню, помню! — Складка меж бровей разгладилась; он опять улыбался. — Немцы взбунтовались... Вы тогда спасли полковника... Вам, кажется, назначили за это восемь эскудо пенсиона?

Алатристе качнул головой:

— Восемь эскудо назначили мне за дело при Белой Горе, ваше превосходительство. Мы тогда с капитаном Брагадо, здесь присутствующим, и с сеньором де Букуа зашли с тыла и взяли малый форт... Что же до пенсиона, то он похудел вдвое.

Упоминание о деньгах будто смыло улыбку с лица Спинолы. Он рассеянно оглянулся по сторонам:

— Ну ладно... Так или иначе, рад был видеть вас целым и невредимым... Просьбы, жалобы есть?

Алатристе улыбнулся, как он это умел — не двинув ни единым мускулом: только в сощуренных, окруженных мелкими морщинками глазах сверкнула какая-то искорка.

— Вроде бы нет, ваше превосходительство. Просить нечего, жаловаться — грех. Мне сегодня заплатили за три месяца.

— Приятно слышать. И приятно было встретиться со старым боевым товарищем... — Он уже собирался дружески потрепать капитана по плечу, но, наткнувшись на его прямой и насмешливый взгляд, отдернул руку. — Я говорю про вас и про себя.

— Разумеется, ваше превосходительство.

— Ведь мы с... кхм!.. вами — солдаты, не так ли?

— Так, ваше превосходительство.

Дон Амбросьо снова кашлянул, в последний раз улыбнулся и, глядя на другую кучку солдат, произнес, явно думая уже о другом:

— Желаю удачи, капитан Алатристе.

— Желаю удачи, ваше превосходительство.

И маркиз Бальбасский, капитан-генерал дон Амбросьо Спинола, главнокомандующий испанскими силами во Фландрии, пошел своей дорогой. И на дороге той вдоволь будет славы прижизненной и посмертной, которую дарует ему гений нашего Веласкеса, о чем наш генерал, впрочем, и не подозревал, но и — так уж нас, испанцев, сотворил Господь, что неизменно мы вместо орла выбираем решку — вдосталь клеветы, несправедливости со стороны нашей отчизны, не оценившей беззаветную преданность приемного своего сына. Ибо покуда Спинола добывал победы для своего короля, неблагодарного, как все короли во все века, придворные завистники вдали от полей сражений пытались — и весьма успешно — уязвить дона Амбросьо ядовитым стрекалом зависти, опорочить его в глазах этого государя, томного и вялого, мягкотелого и слабодушного, неизменно державшегося подальше от тех мест, где слава добывается кровью, латам воина предпочитавшего бальный наряд. Так что по прошествии всего лишь пяти лет со дня взятия Бреды человек, свершивший сие преславное деяние, человек, наделенный и умом, и сердцем, и дарованием, искуснейший военачальник, любивший Испанию до самопожертвования, тот, о ком дон Франсиско де Кеведо напишет впоследствии:

Ветераны

В мятежном Пфальце ты стоял над бездной,
Но твердо положил к подножью трона
Оплот еретиков рукой железной.

Тобою Бреду обрела корона.
В Италии обрел ты рай небесный.
О, боль невосполнимого урона![1]

— умрет, получив за свои заслуги и бранные труды не
должное воздаяние, а зависть, бесчестие, забвение —
все то, чем в низости своей и убожестве окаянная
наша отчизна, неблагодарная Испания, всегда быв-
шая детям своим не матерью, но злой мачехой, привыкла испокон века платить людям, которые любят
ее и верно ей служат. И по злобной иронии судьбы
для вящего ее сарказма суждено будет бедному дону
Амбросьо обрести утешение у врага — у Джулио Мазарини[2], итальянца, как и он, по рождению, ставше-
го кардиналом и первым министром Франции,
единственного, кто окажется у его одра и кому наш
генерал в старческом бреду признается: «Умираю
обесчещенным и опороченным... Всего лишили меня — и доброго имени, и состояния... Я всегда был
порядочным человеком, и вот как оценили сорока-
летнюю мою беспорочную службу».

Когда утихли страсти, выпало и на мою долю проис-
шествие из ряда вон. Случилось оно в тот самый
день, как нам заплатили жалованье и отпустили в
увольнение, после чего полку предстояло вернуться

---

1 Перевод Н.Ванханен.
2 Джулио Мазарини (1602–1661) — кардинал, первый министр (1643) и фактический правитель Франции.

на берега Остерского канала. Весь Аудкерк кутил напропалую с истинно испанским размахом, и под воздействием золотого дождя, пролившегося на город, угрюмые фламандцы, которых мы резали еще несколько месяцев назад, сделались милы и приветливы. Едва лишь в карманах у солдат зазвенело, появилась, как по волшебству, разнообразная снедь, которой раньше днем с огнем было не сыскать, рекой потекли вино и пиво, не слишком ценимое испанцами, вслед за великим Лопе обзывавшими его «ослиной мочой», и даже тусклое солнце решило озарить и согреть веселящееся воинство. Было, было чем поживиться хозяевам тех домов, над входом в которые красовались изображения лебедя или тыквы, — у нас на родине бордели и таверны обозначаются лавровой или же сосновой ветвью. Заиграли приветливые улыбки на устах белокурых белокожих фламандок, и немало горожан мужеска пола в тот день более или менее успешно отводили взгляд, покуда мы — душу, тешась с их женами, сестрами и дочерьми, ибо самые твердокаменные нравственные устои едва ли устоят пред сладостным звоном золота, известного честегубителя и волесломителя. Раз уж зашла речь о воле, скажу, что жительницы Фландрии, вольностью речей и поведения выгодно отличаясь от чопорно-лицемерных испанок, позволяли и за ручку себя прилюдно взять, и в щечку поцеловать, а уж оттуда недалекий путь лежал нам и к более тесной дружбе с теми из них, кто исповедовал католическую веру и увязывался за солдатами, возвращавшимися в Италию или Испанию, хоть и не досягали сии красавицы до Флоры, героини пьесы

Ветераны

«Осада Бреды», каковую Флору, без сомнения, преувеличив малость, наделил Педро Кальдерон де ла Барка чисто кастильским чувством чести и любовью к испанцам: я, сказать по совести, таких добродетелей ни разу ни в одной фламандке не замечал, да побожусь, что и сам автор — тоже.

Ну ладно. Это я все к тому, что обычные спутники войска, отправляющегося в поход, — солдатские жены, маркитантки, гулящие девки, торговцы и прочая публика того же сорта — проворно воздвигли у городских ворот всяческие палатки и лотки, куда охотно наведывались наши вояки в рассуждении украсить и расцветить свои отрепья разнообразными роскошествами вроде новых перьев на шляпу или еще чего в этом роде, и тут подтверждалось исконное свойство денег — легко дались, легко и уйдут, — причем в ходе торговли этой, бесперебойной и бойкой, безжалостно попирались все десять заповедей, да и прочие добродетели, ве́домые богословам, целыми не оставались. Одним словом, творилось то, что голландцы именуют «_kermes_», а правильней было бы назвать вакханалией. По мнению старослужащих — «прямо как в Италии».

Я же со всем пылом буйной младости принимал в этом живейшее участие. Вместе с товарищем моим Хайме Корреасом слонялся взад-вперед, стараясь ничего не пропустить, и, хоть не слишком любил вино, пил наравне со всеми, ибо пьянство и игра — суть первейшие солдатские доблести, тем паче что угощали меня беспрерывно. Что же до игры, то играть мне было не на что — пажам жалованье не полагалось — зато я смотрел во все глаза, как, присев вокруг ротных барабанов, режутся в карты и в кости наши солдаты. И будь в молитвеннике вместо букв тузы да тройки с шестерками, любой из наших шлемоблещущих вояк, смутно помнящих Господни заповеди и еле-еле разбирающих по печатному, прочел бы его с завидной беглостью.

Стучали о барабанную кожу кости, хлестко ложились бубны да трефы, солдаты проворно тасовали, снимали да сдавали, будто дело происходило в каком-нибудь севильском или кордовском игорном доме, громом артиллерийской канонады разносилась над лагерем божба и брань, недобрым словом поминали Пречистую Деву и всех святых, их виня в своем невезении, много неприятного сулили не ко времени запропастившемуся тузу и некстати подвернувшейся даме, ее саму и мать ее не скажу, что и куда, и сильней всего, как водится, ярились те, кто в бою — кротче ярочки, кто в сражении не выказывает ни куража, ни ража, кто сверкает не клинком, а пятками, и кому пиковый валет куда привычней пики. Иные, охваченные поистине гибельным азартом, умудрялись в один день спустить полугодовое жалованье, ради которого пришлось поднять мятеж. Насчет гибельности это я — не для красного словца, потому что время от времени распускался цветочек крапленой карты, выскальзывал из рукава пятый туз или обнаруживалась ртуть в кости, и уж тогда раздавалась матерщина, и следовала в ответ на затрещину оплеуха, а вслед за нею били шпагой плашмя или полосовали кинжалом и ставили стальную пиявку в целую пядь длиной, и кровь отворяли без помощи цирюльников или эскулапов.

Ветераны

Божба, бахвальство, брань, бравада, брыжи, брага...
Сколь вольны их слова, сколь их дела черны!
Да что ж это за сброд? Разбойничья ватага?
— Нет, слуги короля, Испании сыны.

Я, кажется, уже упоминал, что во Фландрии, помимо прочего, распрощался и с невинностью. И потому в конце дня оказался в сопровождении неразлучного Хайме Корреаса у некой колымаги с парусиновым верхом, милосердный владелец которой с помощью трех-четырех своих питомиц облегчал мужские тягости. Одной из этих девиц — нарядной, ладной, складной и пригожей, а притом еще довольно молодой — в свое время перешла изрядная часть тех трофеев, что добыли мы с Хайме Корреасом при взятии Аудкерка. И хоть в тот день, о котором я вам толкую, мы были не при деньгах, девица, назвавшаяся Кларой де Мендоса — замечу, кстати, что не встречалось мне в жизни ни единой потаскушки, которая, даже числя в своих предках исключительно свинопасов, не носила бы какой-нибудь из самых громких и звонких кастильских фамилий, — отнеслась к нам весьма приветливо, что можно объяснить только нашим нежным возрастом, ибо у гулящих девиц бытовало старинное поверье: обслужишь молоденького клиента бесплатно — будет к тебе ходить всю жизнь. Так вот, вышепомянутая Клара, хоть и была занята приготовлением к профессиональным своим обязанностям, умудрилась и к нам обратить ласковые слова и лучезарную улыбку, выявлявшую, впрочем, некоторый непорядок во рту и сильно портившую небесную ее красоту. Оказанный нам радушный прием не понравился одному из посетителей — здоровенному валенсианцу с усищами, гнедой масти коих предательски противоречил цвет бороды. Будучи нетерпелив нравом и очень крепок телом, он попросил нас убраться подальше, для вящей убедительности нанеся нам оскорбление действием — Хайме пнул ногой, а меня огрел по загривку, так что на обоих пришлось примерно поровну. Честь, однако, оказалась затронута сильней, нежели плоть, и вскипевшая младая кровь — а тут надо сказать, что полусолдатское мое бытие последнего времени весьма способствовало безрассудным поступкам, ибо когда кругом резня, как-то не до резонов: коли да режь да прыгай в брешь, — заставила меня разом потерять разум, так что правая рука сама собой схватилась за мой добрый толедский кинжал, висевший на поясе сзади. Клинок я обнажить не успел, но недвусмысленное движение было вполне в духе уроженца Оньяте.

— Скажите спасибо, что мы с вами — в столь неравном положении, — промолвил я, уже малость охолонув.

Имелось в виду, что я — желторотый *мочилеро*, а он — настоящий солдат, вояка на все сто. Обидчик мой, однако, истолковал мои слова превратно и в оскорбительном для себя смысле, тем паче что вся сцена происходила на людях, а он, судя по тому, как несло от него и разило, в довершение бед успел, как говорится, сильно нагрузиться, а иначе говоря, доверху наполнить природный свой бурдюк несколькими *куартильо*[1] хорошего вина. И едва лишь я за-

---

1 Куартильо — мера жидкости, равная 0,504 л.

крыл рот, как валенсианец извлек на свет божий
свою шпагу и быком попер на меня. Люди сторони-
лись, давали дорогу, даже не пытаясь его остановить,
полагая, вероятно, что я уже достаточно большой
мальчик, чтобы отвечать за свои слова делами, и, надеюсь, будет с них в свое время спрошено за то, что
оставили меня в сем положении, но, впрочем, тако-
ва уж природа человека, в чаянии увлекательного
зрелища жалости не знающего. Короче говоря, никто из зевак не счел себя достойным роли миро-
творца и избавителя. Ну а мне, раз уж не сумел держать язык за зубами, не держать же было в ножнах
кинжал — следовало хоть немного уравнять шансы,
чтобы, по крайней мере, не окончить свои дни цып-
ленком на вертеле. Жизнь рядом с капитаном Алатристе да и Фландрия кое-чему успели меня научить,
благо я был юноша не трусливый и не хилый, да
опять же и Клара смотрит... И я попятился от острия
шпаги, которой валенсианец делал выпад за выпадом — из тех, что убить не убьют, но память оставят
долгую и добрую. Бежать я не мог, боясь сраму, толком защищаться — тоже: разное у нас было оружие.
Положение мое было незавидным, но при этом я сохранял хладнокровие, зная, что если проморгаю
удар — зажмурюсь навеки. Верзила продолжал насе-
дать на меня, я благоразумно отступал, отчетливо
сознавая, что противник превосходит меня ростом
и силой, а от длинной толедской шпаги кинжалом
не отобьешься, будь ты хоть кто угодно, и отвага моя
мне тут ничем не поможет. Были у меня веские основания полагать, что единственным трофеем сей
достославной кампании станет моя бедная голова.

— Куда ж ты пятишься, малютка? Иди сюда.

Покуда он произносил эти слова, выпитое вино попросилось наружу, и валенсианца чуть мотнуло в сторону, а я, не заставляя просить себя дважды, и в самом деле пошел на зов. И, благодаря юношеской гибкости всех моих членов, с похвальным проворством поднырнул под нацеленный мне в лицо клинок, справа налево и снизу вверх нанеся удар, который, придись он самую малость повыше, лишил бы королевскую пехоту одного из ее солдат, Валенсию же — достойнейшего из ее сынов. А так мой кинжал угодил ему в пах, но сильного ущерба не причинил — только разрезал шнурок на штанах да исторг из уст валенсианца возмущенный вопль, которому зрители ответствовали смехом и рукоплесканьями. Что ж, за неимением лучшего приходилось утешаться тем, что публика — на моей стороне.

Так или иначе, контратака моя была ошибкой, ибо все увидели, что беззащитный малолетка-бедолажка может за себя постоять, и теперь уж вмешиваться в этот, с позволения сказать, поединок и выручать меня не собирался никто, не исключая товарища моего, Хайме Корреаса, который лишь подбадривал меня одобрительными и восхищенными возгласами. Скверно было и то, что в голове у валенсианца прояснело, и теперь на ногах он держался твердо, а еще тверже преисполнен был намерения заколоть меня во что бы то ни стало. И я, ужаснувшись близкой смерти без покаяния и не располагая никакими иными средствами отсрочить переезд на тот свет, решил во второй — и, без сомнения, последний раз — подобраться вплотную к валенсианскому

Ветераны

брюху и тыкать в него своим кинжалом, покуда кто-нибудь из нас двоих не отправится, как говорится, в гости к богу, причем я, поскольку не причастился святых тайн, уже придумывал уместные объяснения и уважительные причины. И вот что забавно: когда по прошествии многих лет вычитал я где-то фразочку насчет того, что, мол, «испанец, принявший решение, — испанец вдвойне», мне подумалось, что никто лучше не объяснил тогдашних моих действий. Так что я вздохнул поглубже, стиснул зубы, дождался, когда клинок валенсианца, завершив очередной финт, придет в точку наибольшего удаления — и собрался предпринять вторую атаку. И предпринял бы, будьте покойны, если бы в этот миг кто-то не удержал меня, ухватив одной рукой за шиворот, а другой — за локоть. А сам этот «кто-то» оказался между мной и моим противником. Вскинув голову, я с изумлением взглянул в прозрачные, цвета морской воды, глаза капитана Алатристе.

— Такому храбрецу, как ты, не пристало связываться с мальчишкой.

К той минуте, когда прозвучали эти слова, место действия сменилось, причем публики значительно поубавилось: Диего Алатристе и валенсианец отошли шагов на пятьдесят, так что высокая насыпь дамбы скрывала их от посторонних глаз. А товарищи моего хозяина, забравшись наверх — высота же была локтей восемь-десять, — удерживали на почтительном расстоянии зевак, образовав нечто вроде живого барьера, пройти за который не удавалось никому. Здесь были Льоп, Ривас, Мендьета и кое-кто еще, включая Себастьяна Копонса, чьи железные руки изъяли меня, так сказать, из обращения. Теперь я стоял рядом с ним и смотрел, какие события разворачиваются на берегу канала. Солдаты с напускной, однако убедительной суровостью поглядывали по сторонам, решительным выражением лиц, грозным покручиванием усов и бряцанием шпаг пресекая попытки любопытствующих хоть одним глазком взглянуть на происходящее внизу. Для того чтобы придать делу, как сказал поэт, законный вид и толк, позвали двух приятелей валенсианца — на тот случай, если потребуются свидетели, которые расскажут о поединке во всех подробностях.

— Ты же не захочешь прослыть Иродом, — добавил Алатристе.

При этих словах, произнесенных с ледяной насмешкой, валенсианец выругался так громко, что даже наверху было слышно. Винные пары рассеялись бесследно; левой рукой он беспрестанно ерошил свои и без того не больно-то ухоженные усы и бородку, в правой по-прежнему сжимал шпагу, которую так и не спрятал в ножны. Однако несмотря на его угрожающий вид и обнаженный клинок, и внятно произнесенную брань, можно было понять, что драться ему вовсе не хочется, — в противном случае он давно бы уж бросился на капитана, исходя из старинного правила, что нападение всегда предпочтительней обороны. Гонор, конечно, гонором, да и репутацию надо было поддержать после неудачной стычки с таким щенком, как я, и все же взгляды, которые мой обидчик время от времени бросал на плотину, свидетельствовали — он ждет, что кто-нибудь вмешается и остановит дело, покуда оно не зашло слишком далеко. Впрочем, чаще поглядывал он на Диего Алатристе, который так неторопливо и обстоятельно, словно в запасе у него была вечность, снимал шляпу, стаскивал через голову патронташ с двенадцатью пороховницами-«апостолами», раскладывал все это на земле рядом с аркебузой, а проделавши это, все с той же медлительностью принялся расстегивать крючки колета.

— Такой храбрец, как ты... — повторил он, не сводя пристального взгляда с валенсианца.

Услышав это «ты», произнесенное трижды да еще с такой холодной насмешливостью, тот яростно засопел, сделал шаг вперед и другой — в сторону, справа налево прочертив воздух клинком. Надо сказать, что «ты», обращенное не к родственникам, близким друзьям или к людям, занимающим совсем иное, несравненно более низкое положение, звучит очень неучтиво, и болезненно-щепетильными испанцами воспринимается едва ли не как намеренное оскорбление. Вспомните, к примеру, случай в Неаполе, когда граф Лемос и дон Хуан де Суньига, а равно и вся их свита, не исключая и слуг, обнажили клинки — общим числом полтораста — потому только, что один назвал другого «сиятельством», а не «светлостью», а тот его — не «ваша милость», а просто «сударь». Всякий понимал, что валенсианец не стерпит подобного поношения и, преодолев колебания — он, ясное дело, узнал человека, стоявшего перед ним, и наверняка был о нем наслышан, — драться будет непременно, ибо, трижды услышав «ты» от равного по званию, вложить в ножны шпагу, которой махал с геройским видом, значило бы нанести своей репутации ущерб непоправимый. А на испанском языке слово «репутация» означает многое. Даром, что ли, мы полтора столетия корячимся по всей Европе, разоряя собственную державу ради защиты истинной веры и пресловутой репутации, в то время как лютеране, кальвинисты, англикане и другие навеки проклятые еретики, ссылаясь при всяком случае на Священное Писание, затверженное едва ли не наизусть, и объявив свободу совести, дали своим купцам возможность загребать деньгу, какая нам не снилась — и плевать они хотели на всякую репутацию, если она не приносит барыша да выгоды. Ну да что там говорить — спокон века практическая польза значила для нас несравненно меньше, чем религиозный пыл и страх молвы: что́, дескать, подумают, что́ скажут. Нам Европа не указ: у них — так, а у нас — эдак.

— Тебя забыли спросить, — неприветливо буркнул валенсианец. — Чего лезешь?

— Вот именно, забыли, — согласился Алатристе. — А мне думается, что такому бравому молодцу, как ты, нужен более достойный противник. За неимением лучшего и я сгожусь. А?

Он уже снял колет: ни во многих местах заштопанная рубаха, ни штаны в заплатах, ни старые сапоги, перехваченные под коленями аркебузными фитилями, не делали вид его менее внушительным. В воде канала отразился блеск обнаженной шпаги.

— Назовись, сделай милость.

Валенсианец, который расстегивал свой колет — столь же изношенный и потрепанный, как и одежда

Ветераны

его противника, — мотнул головой, не сводя глаз с капитановой шпаги.

— Меня зовут Гарсия де Кандау.

— Очень приятно. — Мой хозяин завел левую руку за спину, и на солнце вспыхнул клинок *бискайца*. — А я...

— Да знаю я, кто ты! — прервал его валенсианец. — Самозванный капитан Диего Алатристе.

Солдаты, стоявшие наверху, переглянулись. Вино явно придало валенсианцу отваги больше, чем требовалось. Зная, с кем придется скрестить оружие, и имея возможность легко отделаться — эко дело: проваляться сколько-то недель в лазарете, — он все-таки лез на рожон, нарывался и играл с огнем. И все мы замерли в ожидании, боясь пропустить хоть самомалейшую подробность предстоящего поединка.

Тут я увидел, как Диего Алатристе улыбнулся. Слава богу, достаточно было прожито бок о бок с ним, чтобы не узнать эту слегка топорщившую усы гримасу — недобрый знак, оскал усталого волка, которому вновь приходится убивать. Не для пропитания, не по злобе. А просто — такая уж его волчья планида.

Тело валенсианца, по пояс погрузившееся в красную от крови, тихую воду канала, вытащили на берег. Что ж, все прошло в соответствии с правилами дуэлей и приличий — противники наносили и парировали удары, обманывали друг друга финтами и ложными замахами, пока, наконец, клинок капитана Алатристе не попал туда, куда был направлен. И когда начнется дознание по поводу гибели валенсианца — а это, между прочим, был четвертый смертельный случай за день: я ж говорил, картёж без поножовщины не обходится, — то все свидетели, как солдаты нашего государя и люди чести, подтвердят: тот, напившись до беспамятства, поранился своим же оружием и свалился в канал, — а профос сочтет случай ясным и расследованию не подлежащим. Помимо всего прочего, в ту же ночь голландцы предпримут вылазку. Так что и профосу, и полковнику, и солдатам, и капитану Алатристе, и мне самому будет — ох, и как еще будет! — не до того.

Верная пехота

Неприятель атаковал глубокой ночью, беззвучно, ножами, сняв передовое охранение. Мориц Оранский решил, фигурально выражаясь, половить рыбку в мутной, взбаламученной воде мятежа и ударил на Аудкерк с севера, надеясь перебросить под Бреду подкрепление — своих голландцев да англичан, прорву пехоты и кавалерии, которая и смяла наши заслоны. Картахенскому полку вкупе с валлонами, оказавшимися в окрестностях, приказано было заступить путь противнику и сдерживать его натиск, пока генерал Спинола не организует контрнаступление. Так что в самую ночь-полночь проснулись мы от барабанной дроби, визга флейт и криков «В ружье!». Тому, кто сам не испытал подобного, нечего и описывать эту суматоху — все равно не поймет, как сворачивается лагерь: в свете факелов мечутся, спотыкаясь и друг на друга натыкаясь, люди; вразнобой звучат команды капитанов и сержантов, торопливо строящих своих солдат, еще не проснувшихся толком, полуодетых, торопливо прилаживающих на себе боевую сбрую; оглушительно гремят барабаны; ржут и бьют копытами кони, охваченные лихорадочным ожиданием неминуемого и близкого боя. Взблескивает сталь, сверкают наконечники копий, шлемы и кирасы. В пляшущем красноватом свете факелов и фонарей мелькают на доставаемых из чехлов знаменах то андреевский крест, то желтые на красном фоне полосы арагонского герба, то геральдические зубчатые башни, львы и цепи.

Рота капитана Брагадо, выступив в числе первых, оставила за спиной огни города и лагеря и двинулась во тьму вдоль плотины по торфяникам и низким, заливаемым приливом берегам. Разнесся слух, будто идем к мельнице Руйтер — голландцы, направляясь к Бреде, никак не могли миновать ее, ибо в ином месте перейти реку вброд было нельзя. Я шел вместе с другими *мочилеро*, таща на горбу запас пороха и пуль, аркебузы своего хозяина и Себастьяна Копонса, равно как и часть их скарба, то есть исполнял по обыкновению должность вьючного мула, и благодаря сей сомнительной чести мышцы мои крепли день ото дня, так что можно было приговаривать, что нет худа без добра, и, как нам, испанцам, свойственно, этим утешаться. Впрочем, справедливо и обратное.

> Ох, сеньоры, вот вещица,
> Вот какая штука, братцы:
> Чтобы к славе приобщиться,
> Надо сильно постараться.

Верная пехота

Идти в темноте было нелегко — луна на ущербе из-за туч выныривала лишь изредка — и солдаты то и дело оступались, спотыкались, налетали друг на друга, так что по-над плотиной слышалась непрестанная, хоть и приглушенная брань. Мой хозяин хранил по своему обыкновению безмолвие, и тенью тени я следовал за ним, обуреваемый разнообразными чувствами: с одной стороны, близость боя и приключений грела мою юную душу, с другой — томил ее, усугубленный этим мраком, страх неведомого, и смущала скорая встреча на бранном поле с многочисленным врагом. Невольно вспоминалось, как еще в Аудкерке, когда выстроившийся в свете факелов полк был готов к выходу, даже те, кто, казалось бы, не верил ни в бога, ни в черта, преклонили колени и обнажили голову, а капеллан Салануэва обходил шеренги, скопом и чохом отпуская грехи. Нужды нет, что был сей пастырь груб, глуп и вечно полупьян, — другого более-менее святого у нас под рукой не оказалось, и наши солдаты в преддверии опасности неизменно предпочитали услышать «ego te absolvo»[1] из грешных уст, нежели отправляться в самую что ни на есть дальнюю даль без такого напутствия.

Еще одно обстоятельство тревожило меня, да — если судить по разговорам наших ветеранов — и не меня одного. Вступив на ближайший к дамбе мост, мы тотчас увидели команду саперов с фонарями, кирками и ломами, которая намеревалась мост этот обрушить, едва лишь рота окажется на другом бере-

---

1   Отпускаю тебе грехи (_лат._).

гу, для того, разумеется, чтобы остановить голландцев. Однако это означало, что и нам, во-первых, не стоит ждать никакого подкрепления, а во-вторых, что в случае чего можно не кричать: «Спасайся, кто может!» — спасаться будет некому и некуда.

Короче говоря, с мостом за спиной или без моста, к рассвету добрались мы до мельницы. Оттуда уже ясно слышалась отдаленная трескотня — это остатки наших аванпостов вели перестрелку с голландцами. При свете большого костра я увидел мельника с женой и четырьмя малолетними детьми — все были в исподнем и с беспомощным испугом глядели, как солдаты, выгнавшие их вон из дому, крушат двери и окна, укрепляют второй этаж и грудой наваливают обломки мебели, возводя из них подобие бруствера. Пламя играло на кирасах и касках, дети рыдали от ужаса перед этими закованными в сталь чужеземцами, а мельник в буквальном смысле хватался за голову при виде того, как уничтожается все его достояние, и никого это не трогает, ибо на войне любая трагедия очень скоро превращается в зауряднейшее дело, а сердце солдата, очерствев, столь же мало отзывается на чужую беду, как и на свою собственную. Мельница была выбрана доном Педро в качестве командного и наблюдательного пунктов, и наш полковник совещался с командиром валлонцев под сенью знамен и в окружении штабных. Время от времени оба поглядывали на отдаленное зарево — примерно в полулиге от нас горела деревня, где, судя по всему, накапливался для атаки неприятель.

Нас выдвинули еще немного вперед: роты во мраке двинулись под деревьями, шагая по высокой росистой траве, так что ноги у нас вымокли до колен. Приказ был — ждать и костров не жечь, стоять «вольно», но уж какая тут воля, когда человек в страхе и напряжении: время от времени, когда звуки боя приближались, в шеренгах начиналось шевеление, тревожные выкрики «стой, кто идет?» и тому подобное. Передовые запалили фитили аркебуз, и во мраке светлячками загорелись красные точки. Старослужащие все же опустились на влажную землю, используя каждую минутку затишья перед боем, а остальные не смогли или не захотели и зорко всматривались, чутко вслушивались в предрассветную темь, где то и дело вспыхивала близкая стрельба. Алатристе и прочие разлеглись возле изгороди, и я, на ощупь пробираясь к ним, в кровь расцарапал себе лицо и руки о какие-то колючки. Хозяин раза два окликал меня, чтобы убедиться — я рядом. Затем они с Себастьяном Копонсом взяли у меня свои аркебузы и велели запалить с обоих концов длинный фитиль на тот случай, если вдруг понадобится. Достав из мешка кресало и кремень, я под прикрытием изгороди добыл огня, хорошенько раздул его, запалил и осторожно опустил фитиль на какую-то деревяшку, с тем чтобы не промок, не погас и все бы могли им воспользоваться в случае необходимости. Потом присоединился к остальным, мечтая отдохнуть после перехода, а проще говоря — поспать. Мечте моей не суждено было исполниться. Холод страшенный, на мокрой траве, да и вообще в предрассветной сырости не больно-то поспишь. Пытаясь согреться, я, сам того не замечая, подполз к Диего Алатристе, который, скорчившись, сидел на земле с аркебузой на коленях, притулился к нему, почувствовал запах волглой грязной одежды, перемешанный с запахом кожи и металла — и капитан не отодвинулся, не оттолкнул меня, остался сидеть как сидел, и лишь потом, когда небо начало светлеть, а я — дрожать от озноба, повернулся ко мне и, не говоря ни слова, укрыл меня своей ветхой солдатской епанчой.

А едва рассвело, пожаловали голландцы. Их кавалерийские разъезды разметали наши полевые караулы, а через непродолжительное время двинулись сомкнутыми рядами и основные силы, явно намереваясь отбить мельницу, а стало быть, и дорогу, которая через Аудкерк вела на Бреду. Капитану Брагадо приказали поставить его роту рядом с другими на обширном лугу, окруженном деревьями и изгородями: с одной стороны — низкий берег канала, с другой — дорога, на обочине которой заняли позицию солдаты дона Карла ван Сойста; его полк целиком состоял из фламандцев, сохранивших католическую веру и верность нашему королю. Так что вместе мы покрывали пространство в четверть лиги по фронту, и разминуться с нами неприятель не мог никак. И, скажу вам по совести, зрелище было грандиозное — два замерших в строю полка, лес копий и развернутые знамена посреди, аркебузиры и мушкетеры на флангах, а по плавным всхолмлениям равнины движутся неприятельские колонны. В тот день на каждого из наших пришлось по пять голландцев, и, наверное, Морицу Оранскому, чтоб создать такой численный перевес, пришлось опустошить все свои

Верная пехота

мятежные провинции. Я слышал, как капитан Брагадо говорит:

— Клянусь жизнью нашего государя, жаркое будет дело, — а прапорщик Кото ему отвечает:

— Хорошо хоть, не подтянули артиллерию.

— Всему свой черед.

Из-под полей шляп, сощурясь, наметанным гла-
зом глядели они, как все пространство перед фрон-
том Картахенского полка заполняется блеском ки-
рас, наконечников копий, шлемов. Выдвинутый вперед взвод Диего Алатристе должен был прикрывать
левое крыло полка огнем своих аркебуз и мушкетов:
солдаты положили за щеку пули, обмотали вокруг
левого запястья зажженные с обоих концов фитили.
За стрелками тесно — не далее локтя друг от друга —
стояли копейщики и тяжеловооруженные, закован-
ные в сталь от макушки до колен латники: первые
держали оружие на плече, вторые покамест уперли в
землю древки своих длиннющих — пядей двадцать
пять будет — копий. Я расположился так, чтобы по
первому зову хозяина подоспеть к нему и подать,
что потребуется — пороха ли, свинцовых ли, весом
в одну унцию, пуль или воды — и вертел головой, пе-
реводя взгляд с наступающих плотными рядами
голландцев на бесстрастно-невозмутимые лица
Алатристе и прочих: каждый стоял на своем месте,
крутя усы, проводя языком по пересохшим губам,
прикидывая, сколько шагов остается до противника,
вполголоса бросая соседу ничего не значащее заме-
чание или бормоча сквозь зубы молитву. Мне, взбу-
дораженному ожиданием неминуемой схватки,
ужасно хотелось быть полезным, и я подошел к Ала-

тристе осведомиться, не надо ли чего, но он едва удостоил меня взглядом. Крепко уперев в землю приклад своей аркебузы, сложив на раструбе дула руки — вокруг левого запястья был обмотан фитиль, тлеющий с концов, — капитан внимательно всматривался в неприятельские колонны. Опущенные поля шляпы затеняли его лицо, поверх нагрудника из буйволовой кожи перекрещивались патронташ и красная, порядком вылинявшая и потускневшая перевязь со шпагой и *бискайцем*. Торчащие усы, орлиный профиль, обветренное загорелое лицо, которое от двухдневной щетины, покрывавшей впалые щеки, казалось еще более худым.

— Гляди налево! — предупредил капитан Брагадо, вскидывая на плечо свой эспонтон.

И в самом деле: слева между торфяниками и рощицей показались кавалерийские разъезды — высланная вперед разведка. Гарроте, Льоп и четверо-пятеро других без приказа шагнули вперед, приложились, прицелились и дали залп по еретикам, которые тотчас развернули коней и ускакали. По другую сторону дороги неприятель уже начал тревожить огнем наших соседей, а те весьма оживленно ему отвечали. Мне хорошо было видно, как многочисленный отряд голландских кирасир скачет в атаку — им навстречу, блеснув на солнце стальными наконечниками, склонились, будто спелая рожь под ветром, длинные пики валлонов.

— Идут, — сказал Брагадо.

Прапорщик Кото, весь закованный в сталь: латы нагрудные, наспинные, да еще и кольчужные рукава — когда несешь знамя, всякий норовит достать тебя пулей или клинком, — принял ясеневое древко из рук своего помощника и двинулся туда, где уже развевались прочие знамена Картахенского полка. Со стороны рощицы, четко выделяясь на фоне деревьев — горизонтальные лучи невысокого еще солнца светили им в спину, — появилась чертова уйма голландцев: вступая на луг, они заходили правым плечом вперед и подбадривали себя громкими криками, из чего я заключил, что среди них есть и англичане в немалом числе: те вечно горланят в бою и на пирушке. Таким вот манером, не прекращая движения, шагов за двести до нас перестроились они в боевой порядок, а кое-кто из аркебузиров, наступавших рассыпным строем, уже послал нам пулю, пока еще не достигшую цели. Я, помнится, говорил вам, что кое-какие виды во Фландрии повидал, но в большом сражении участие принимал впервые и впервые, стало быть, наблюдал, как неколебимо ожидает испанская пехота атаку противника. Более всего поразило меня, что ожидание это происходило в полнейшем безмолвии и совершеннейшей неподвижности — в преддверии встречи с неприятелем обросшие, обветренные пришельцы из самой недисциплинированной на свете страны не произносили ни звука, не производили ни единого движения, не значившихся в уставах и наставлениях. Именно в этот день, в бою за Руйтерскую мельницу, понял я, почему не было и долго еще не будет в Европе силы более грозной, нежели наша пехота — безупречно отлаженная военная машина, в которой всякий знал свое место, в том находя для себя гордость и обретая силу. Возможность доблестно сра-

жаться за католического государя и истинную веру
одаривала всех этих безземельных дворян, искателей приключений, всякого рода проходимцев и
прочую недостойную публику достоинством, которого нигде больше не было и быть не могло.

> Не подлежит разделу майорат:
> Все старшему должно достаться сыну —
> Избыв досаду, безземельный брат
> Отправится сражаться на чужбину, —

как удачно и вполне в тему высказался некий плодовитый толедский монах по имени Габриэль Тельес,
более известный как Тирсо де Молина. Ибо в лучах
славы, осенявшей непобедимые испанские легионы,
мог погреться даже самый завалящий оборванец, получавший право и возможность зваться идальго:

> Гордый род мой начат мной.
> Славно, гром меня срази,
> Первым в роде отличиться.
> Худо знатностью кичиться,
> Имя вываляв в грязи[1].

Ну а голландцы плевать хотели на любые родословцы и на всю подобную чушь — в то утро они бодро и весело перли прямо на Бреду и явно были расположены сократить себе путь, устранив досадную
помеху в нашем лице. Грянуло уже несколько мушкетных выстрелов, но пули, чуть-чуть не дотянув до
неприятеля, бессильно упали в траву. Я увидел, как
дон Педро де ла Амба, в своих миланских доспехах

---

1   Перевод Н.Ванханен.

высившийся на коне под знаменами, одной рукой опустил забрало шлема, а другой вскинул свой жезл. В ту же минуту зарокотал полковой барабан, а ротные стали вторить ему. От нескончаемой дроби кровь стыла в жилах, мертвая тишина воцарилась вокруг. Даже голландцы, подошедшие уже так близко, что мы могли различить их лица, одежду, оружие, как-то замялись, смущенные барабанным боем, доносившимся из неподвижных рядов тех, кто преграждал им путь. Но вот, подбадриваемые своими капралами и офицерами, вновь загорланили, двинулись вперед. Они были уже шагах этак в шестидесяти-семидесяти: аркебузиры взяли к прицелу, латники опустили копья. Видно было даже, как горят фитили.

И тогда над полком от шеренги к шеренге пронесся резкий, вызывающий крик и, подхваченный сотнями глоток, усилился, заглушил барабанные раскаты:

— Испания! Испания! Испания идет!

Это был старинный боевой клич, издавна означавший только одно: «Берегись! Сторонись! Дорогу Испании!» Я затаил дыхание, услышав его, взглянул на хозяина, однако так и не понял, кричит ли он со всеми вместе. Снова стали слышны барабаны, и вот первые шеренги испанцев пошли вперед, и Диего Алатристе, ясное дело, тоже: с аркебузой наперевес, локоть к локтю с товарищами — слева Себастьян Копонс, справа — Мендьета, чуть впереди — капитан Брагадо. Плотным, сомкнутым строем двигались они медленно и величаво, как на смотру в высочайшем присутствии. Те самые люди, что несколько дней назад бунтовали из-за жалованья, а теперь, стиснув зубы, выставив торчащие усы, выпятив небритые подбородки, шли в атаку, и лоснящаяся кожа амуниции вкупе со сверкающим оружием закрывала их лохмотья. Шли неустрашимо и грозно, оставляя за собой дым тлеющих фитилей. Я со всех ног поспевал за строем, и пули жужжали вокруг уже не на шутку, ибо совсем недалеко были от нас голландские латники и аркебузиры. Я запыхался, я оглох от грохочущей в ушах крови, которую гнало по жилам бешено колотящееся сердце, само стучавшее не хуже полкового барабана.

Первый неприятельский залп свалил кого-то из наших, заволок наш строй облаком густого черного дыма. Когда же он рассеялся, я увидел — капитан Брагадо воздел свой эспонтон, Алатристе же и прочие, остановясь, с полным спокойствием дуют на фитили, вскидывают аркебузы, приникают к прикладу щекой. Так, за тридцать шагов до голландцев, Картахенский полк вступил в дело.

— Сомкнись! Сомкнись!

Солнце висело в небе уже два часа, а бой начался на рассвете. Испанские аркебузиры держали фронт, нанося большой урон голландцам, покуда под градом пуль, под ударами пик, под натиском кавалерии не пришлось им в полном порядке отойти и присоединиться к основным силам, вместе с латниками выстроив неодолимую стену. После каждого залпа, после каждой атаки неприятельской кавалерии образовывались в ней бреши, мгновенно заполнявшиеся теми, кто уцелел, и уже дважды откатывались голландцы —наткнувшись на наши пики и огонь наших мушкетов.

— Опять лезут!

Это была уже третья атака. И откуда только берутся эти еретики? Не иначе как сам сатана изблевывает их из своей утробы. В густой дымке снова блестели острия пик. Наши офицеры сорвали себе голос, командуя, а на шпаге капитана Брагадо — он уже потерял где-то шляпу и почернел от пороховой копоти — не поспевала засыхать кровь голландцев.

Прозвучал приказ, и тесно, локоть к локтю, стоявшие латники первой шеренги, перекинув длинные копья с левой руки на правую, выставили их перед собой, готовясь скрестить с вражескими. Тем временем с обоих флангов серьезно докучали голландцам наши стрелки. Я терся неподалеку от взвода Алатристе, стараясь не мешать солдатам, которые заряжали, прикладывались, палили: аркебузиры свое оружие вскидывали к плечу, тяжелые мушкеты били с сошек. Я сновал между ними, одному поднося порох, другому — пули, третьему подавал висевшую у меня на перевязи фляжку с водой; обоняние мое и зрение жестоко страдали от дыма, порой я, как та Магдалина, ничего не видел из-за слез и, когда меня подзывали, двигался на ощупь.

Вот я протянул капитану Алатристе горсть пуль, поскольку его запас истощался — несколько штук он сунул в кошель на левом бедре, две — за щеку, а третью — в ствол, хорошенько забил ее шомполом, подсыпал пороху, дунул на свисавший с левого запястья дымящийся фитиль, поднес его к затравочному отверстию и вскинул аркебузу — все это не глядя, почти машинально, не переставая при этом выцеливать ближайшего голландца. Выстрелил, и я увидел, как у еретика — это был копейщик в огромном шлеме — посреди кирасы словно распустился диковинный цветок, а сам он повалился навзничь, и место его тотчас заступили другие.

Справа от нас уже вовсю кипела схватка, а сколько-то неприятельских латников — и в немалом числе — устремилось и в нашу сторону. Диего Алатристе поднес к губам нагревшийся ствол аркебузы, сплюнул в дуло пулей, неторопливо повторил весь артикул и выстрелил. От пороховой гари лицо его покрылось серым налетом, а усы словно бы поседели. Покрасневшими, воспаленными от дыма глазами — от копоти морщинки вокруг них обозначились четче — он напряженно всматривался в наступающих голландцев и выбирал себе жертву, а определив новую цель, уже не отводил от нее взгляда, как будто свалить выстрелом следовало именно этого, а не какого-то иного еретика.

— Полезли! — гаркнул капитан Брагадо. — Держись, ребята! Держись!!!

Что ж, на то, чтобы держаться, и даны ему были Господом Богом и его величеством две руки, одна шпага и сотня испанцев под начало. Пришло время толково распорядиться всем этим, ибо длинные голландские пики были уже совсем близко. Перекрывая грохот пальбы, донеслась до меня замысловатая — только мы, баски, умеем облекать свои пламенные чувства в такую витиевато-чеканную форму — брань Мендьеты: у него сломался замок аркебузы. Потом совсем рядом со мной мелькнул украшенный перьями шлем, что-то брякнуло, звякнуло, лязгнуло — и голландец свалился едва ли не под ноги мне. Справа от нас колыхался целый лес копий, одним своим краем разворачиваясь в нашу сторону. Я увидел, как Мендьета за ствол ухватил аркебузу, намереваясь орудовать ею как палицей. Остальные торопливо выпускали последние заряды.

— Испания! Сантьяго! Испания!

За спиной у нас, за частоколом копий трепетали на ветру пробитые пулями полотнища с андреевскими крестами. Рослые, рыжие голландцы накатывали лавиной — ужас и остервенение в глазах... кровь на лицах... перекошенные в крике рты... кирасы, шлемы, блеск стальных наконечников, готовых вот-вот вонзиться и пропороть насквозь. Пора было браться за шпаги. Я видел, как Алатристе и Копонс, стоя плечом к плечу, бросили аркебузы наземь, вытянули из ножен клинки толедского закала. Видел, как врезались голландские копья в наши ряды, калеча, увеча и пронзая, а Диего Алатристе колол и рубил, вертясь меж длинных ясеневых древков. За одно из них я ухватился, и дравшийся рядом со мной испанец дотянулся шпагой до горла еретика, державшего копье, так что струя крови хлынула мне на руки. На подмогу уже спешили наши, протягивая копья поверх наших голов и становясь в строй на место павших. В трескучем скрещении копий, как в лабиринте, шла резня.

Отталкивая однополчан, я пробивался к Алатристе и, когда какой-то голландец, сбитый наземь, ухватил его за ноги, силясь повалить, — вскрикнул, не слыша собственного голоса, выхватил кинжал и кинулся спасать хозяина пусть даже ценой собственной жизни. В исступлении я прижал голову голландца к земле, покуда Алатристе лягался, пытаясь высвободиться, и сверху вниз тыкал в него шпагой. Голландец попался жилистый и упорный — не сдавался и на тот свет не торопился, хоть кровь хлестала у него из ноздрей и изо рта, будто у харамского быка: я помню, как липла она к моим пальцам и, перемешиваясь с пороховой копотью и землей, пятнала белокожее, в веснушках и рыжеватой щетине лицо врага. Он не хотел умирать — стало быть, следовало его уговорить. Левой рукой придерживая его голову, правой я выхватил кинжал, трижды пырнул изо всех сил, однако клинок не пробил кожаный нагрудник. Голландец чувствовал удары — по крайней мере, глаза его расширились, он выпустил наконец ноги Алатристе, чтобы защитить лицо, застонал. Я же, ослепленный и ужасом, и яростью, нащупал наконец незащищенное место — как сейчас помню, между шнурами его колета — и всей тяжестью тела налег на рукоять. Он что-то залопотал по-своему — наверное, молил о пощаде, — но тотчас стал давиться кровью, завел глаза и затих, как словно никогда и не жил.

— Испания!.. Испания!.. Отступают!!!

И в самом деле — поредевшие шеренги еретиков, топча своих убитых, телами которых завалено было все поле, откатывались. Несколько человек из новичков намеревались преследовать их, однако большинство не тронулось с места, ибо картахенцы были в основном старослужащие и презренным делом считали бегать по полю россыпью, рискуя по-

Верная пехота

пасть в засаду или под фланговый удар. Алатристе
сгреб меня за шиворот, приподнял с земли и повер-
нул, удостоверяясь, что я цел. Потом, не произнеся
ни слова, мягко оттолкнул от дохлого голландца,
вытер лезвие о колет убитого, вложил — как показалось мне, жестом безмерной усталости — шпагу в
ножны. И лицо, и руки его, и одежда были в крови,
но это была чужая кровь. Я огляделся. У Себастьяна
Копонса, искавшего свою аркебузу под грудой тел,
обильно кровоточила рана на виске, с которого мо-
лодецкий удар стесал здоровенный — пяди в две, не
меньше — лоскут кожи с волосами, на ниточке, что
называется, болтавшийся над ухом.

— Твою мать... — бормотал арагонец ошеломленно.

Почерневшими от крови и пороха пальцами —
большим и указательным — он придерживал лоскут,
не вполне представляя себе, что с ним делать. Алатристе достал из какого-то загашника чистую тряпи-
цу, приладил, как умел, полуоторванную кожу на место и обвязал Копонсу голову.

— Гляди-ка, Диего, чуть башку не отхватили.

— Ничего, заживет.

Копонс пожал плечами:

— Будем надеяться.

Я выпрямился и заметил, что меня шатает. Солдаты оттаскивали в сторону трупы голландцев. Кое-
кто шарил у них по карманам, освобождая покойни-
ков от ненужного им более имущества. Гарроте без
малейшей заминки отсекал кинжалом пальцы, укра-
шенные перстнями — не возиться же, в самом деле,
стягивая их по одному? Мендьета отыскивал себе
новую аркебузу.

— Становись! — грянул голос капитана Брагадо.

В ста шагах от нас строились голландцы — к ним подошло подкрепление, включая и кавалерию: я видел, как блестят кирасы. Наши тоже оставили добычу, стали в ряд, локоть к локтю, меж тем как раненые ползком и на четвереньках покидали боевые порядки. Нужно было собрать убитых, сомкнуть строй. Полк не отступил ни на пядь.

В таких вот и подобных занятиях проволочили мы время до полудня — стойко отбивали атаки, крича «Испания и Сантьяго!», когда очень уж наваливались голландцы, оттаскивали убитых, перевязывали раненых, и продолжалось все это до тех пор, пока еретики, убедясь, что за целое утро не сумели поколебать нашу живую стену, не начали мало-помалу ослаблять напор и натиск. К этому времени истощились у меня запасы пороха и пуль, так что приходилось шарить в патронташах убитых и несколько раз, улучая моменты меж двумя атаками, когда голландцы откатывались, выбираться на ничейную землю , чтобы забрать огневое зелье у неприятельских стрелков, и потом мчаться назад, как зайцу, под свист мушкетных пуль. Опустела и моя фляга, которую подавал я Алатристе и его товарищам — война, как известно, глотку сушит, — и потому я совершал походы на берег канала, оставшегося у нас за спиной, и сохранил об этом неприятнейшие воспоминания, ибо путь туда был буквально завален нашими ранеными: в избытке насмотрелся я на развороченные животы, пропоротые груди, окровавленные обрубки рук и ног, вдосталь наслушался стонов, предсмертных хрипов, брани на всех испанских наречиях, просьб о помощи, равно как и латыни нашего капеллана Салануэвы, который без устали соборовал умирающих, за неимением елея используя собственную слюну. Пусть бы те скудоумцы, что толкуют о бранной славе, вспомнили слова маркиза Пескара́: «Господи, пошли мне сто лет войны и ни одного дня сражения» — или прогулялись бы со мной в то утро по бережку: вот тогда, глядишь, открылась бы им война оборотной своей стороной, показала бы закулисье парадного своего действа, осененного знаменами, гремящего медью труб и выспренними речами удальцов и вояк, которые благоразумно держатся в тылу, чеканят свой профиль на монетах и ставят себе памятники на площадях, но ни разу в жизни не слышали, как свистят пули, не видели, как умирают товарищи, не обагряли рук вражьей кровью, не подвергали себя опасности лишиться от лихого удара в пах лучшего достояния мужчины.

Бегая взад-вперед до канала и обратно, я всякий раз вглядывался, не идут ли подкрепления из Аудкерка, однако дорога неизменно оставалась пуста. Пробежки эти также позволили мне увидеть всю панораму сражения — противостояние голландцев и двух наших полков, испанского и валлонского, оседлавших, как принято говорить, дорогу и не пускавших врага дальше. Видел я густой лес копий, а в нем — блеск стали, вспышки выстрелов, клубы порохового дыма, колыхание знамен. Валлоны, надо сказать, честно выполняли свой долг, хотя пришлось им тяжелее, чем нам, и несли они большой урон от меткой стрельбы голландских аркебузиров и жестоких кавалерийских атак. И после каждой все меньше копий вздымалось над строем: было видно, что солдаты Карла ван Сойста, люди добросовестные и отважные, явно обессиливают. Острота положения была еще и в том, что голландцы, смяв их, сумели бы зайти во фланг Картахенскому полку, истребить его тоже, а уж тогда — конец и Руйтерской мельнице, и Аудкерку, и Бреде. Это соображение смущало и томило меня, когда я возвращался к своим, не решившись пройти мимо дона Педро, в окружении своей свиты и охраны сидевшего верхом в середине каре. Мушкетная пуля уже на излете ударила в его чеканную миланскую кирасу, оставив прелестную вмятину, но, если не считать этой неприятности, наш полковник остался цел и невредим, чего никак нельзя было сказать о его штаб-трубаче — попавшая в рот пуля свалила его под ноги лошадям, где он и лежал, и никому до него не было дела. Я видел, что полковник и его свита, нахмурясь, наблюдали, как редеют шеренги валлонов. Даже мне при всей моей юношеской беспечности ясно было: покончат с ними — нам без кавалерийского прикрытия ничего не останется, как отступать к мельнице, чтоб не попасть в окружение. Согласитесь, что одно дело — когда, внушая врагам уважение и страх, противостоит им неколебимая стена решительных воинов, и совсем другое — когда воины эти отступают, пусть даже медленно и в порядке, больше заботясь о своем здоровье, нежели о сопротивлении. Тем паче что мы, испанцы, гордимся своей свирепостью в бою не меньше, чем горделивым бесстрастием в смертный час — даже на картинке никто не видал нас со спины. И пресловутое доброе имя дорогого стоит.

Верная пехота

Солнце близилось к зениту, когда вконец поредевший строй валлонов, на совесть послуживших нашему государю и святой вере, был прорван. Под натиском кавалерии, под напором латников они, несмотря на все усилия своих офицеров, бросились бежать: одна часть — врассыпную — к Руйтерской мельнице, а другая, сохраняя порядок, — к нам под крыло. С ними пришли Карл ван Сойст, выглядевший так, будто его сию минуту сняли с креста: шлем сбит, обе руки прострелены — и несколько его офицеров, пытавшихся спасти знамена. Мы сами едва не дрогнули, когда к нам устремилась эта толпа, тем более что — и это было самое скверное — голландцы наступали им буквально на пятки, намереваясь воспользоваться нашим замешательством. Счастье еще, что атаковали нас, как бы сказать, вяловато, ибо первоначальный жар истратили на валлонов, надеясь, что те внесут смуту в наши ряды, и начнется паника. Но я ведь уже говорил — картахенцы были люди дошлые, испытанные, а потому, пропустив сколько-то валлонов, шеренги на правом фланге вновь сомкнулись, как створки железных ворот, и аркебузы с мушкетами дали мощный залп, перебивший изрядное количество отступавших, а заодно — и голландцев, поспешавших следом.

Повинуясь прозвучавшей команде и сохраняя свое легендарное хладнокровие, латники неторопливо развернулись навстречу голландцам, уперли в землю концы копий, прижав их ногой и держа древки левой рукой, а правой — обнажив шпаги. Они были готовы встретить летевшую на них кавалерию.

— Сантьяго! Испания и Сантьяго!

И голландцы словно наскочили на стену. Копья скрестились; удар был так силен, что длинные ясеневые древки разлетелись на куски. Началась рукопашная.

Неприятель атаковал теперь и с фронта, снова пустив вперед кавалерию. Опытные наши аркебузиры исправно и безо всякого замешательства делали свое дело — заряжали, прикладывались, палили, не прося ни пороха, ни пуль, и среди них был Диего Алатристе, который методично, без суеты и спешки раздувал фитиль, целился и стрелял. Частая пальба свалила передовых, однако основные силы продолжали напирать, так что фланговым стрелкам — и мне заодно — пришлось отступить под прикрытие наших копий. Я потерял из виду своего хозяина, но заметил, как Себастьян Копонс с перевязанной головой — странно смотрелась эта чалма на арагонце — схватился за шпагу. Кое-кто из наших растерялся, бросился назад, подальше от голландцев, ибо не одних лишь львов рождает иберийская земля. Однако большинство держались стойко. Пули вокруг ложились густо и метко и не только сами ложились, а и людей укладывали — стоявший рядом копейщик забрызгал меня кровью и тяжело навалился мне на плечо, воззвав по-португальски к Божьей Матери. Я высвободился, отбросил в сторону его копье, путавшееся в ногах. Плотные шеренги, пропахшие потом, кровью, порохом, мотали меня взад-вперед, точно прилив и отлив.

— Держись, ребята!.. Испания!.. Испания!

За спиной у нас, в центре каре, там, где развевались знамена, невозмутимо рокотал полковой барабан. Пули сыпались все гуще, солдат падало все больше, но шеренги смыкались, и меня в спину и с боков толкали крепкотелые люди в железе и коже. Они все мне заслоняли, и я поднимался на цыпочки, выглядывая из-за плеча впереди стоящего, но видел только потрепанные поля шляп, гребни шлемов, поблескивающие стволы аркебуз и мушкетов, стальное сверкание копий и алебард. От жары, от порохового дыма нечем было дышать, кругом шла голова, и, едва не теряя сознание, я завел руку назад, сорвал с пояса кинжал и со всей мочи завопил:

— Оньяте! Оньяте!

Мгновение спустя, в треске ломающихся копий, в ржании раненых коней, в лязге стали голландская кавалерия прорвала строй, и началась такая каша, что один лишь Господь Бог смог бы понять, где свои, а где чужие.

VI

Резня

Иногда я смотрю на картину и предаюсь воспоминаниям. Даже Диего Веласкесу, хоть я и рассказал ему все, что мог и как умел, не под силу оказалось изобразить на полотне ни ту долгую и смертельно опасную дорогу — она лишь угадывается за клубами порохового дыма, за серой дымкой, — которую пришлось нам одолеть, дабы стать участниками этой величественной сцены, ни копья всех тех, кто остался на обочинах, так и не узрев солнца Бреды. Прошли годы, и довелось мне увидеть, как кровавились острия наших копий в резне при Нордлингене или Рокруа: в первом случае блеснула прощальным блеском испанская звезда, во втором — навсегда закатилась она для армии, действующей во Фландрии. И в памяти моей эти битвы, как и сражение за Руйтерскую мельницу, остались прежде всего звуками — криками, воплями, скрежетом и лязгом стали о сталь, треском рвущейся одежды, хрустом ломающихся костей. Спустя много лет Анхелика де Алькесар игриво осведомилась, приходилось ли мне слышать звук более жуткий, чем тот, с которым мотыга рассекает картофельный клубень. Приходилось, отвечал я без колебаний, — когда черепная коробка от грамотного удара разлетается на куски. Анхелика улыбнулась, устремив на меня пристальный и задумчивый взгляд своих синих глаз, полученных в дар не иначе как от самого дьявола. Потом протянула руку, дотронулась до моих век, которые не смежал я и в самые страшные мгновенья, провела по моим губам, которые размыкались столько раз, исторгая крики ужаса или ярости, прикоснулась к моей руке, знавшей тяжесть клинка, не раз обагрявшейся кровью. Потом ее пухлые, теплые губы одарили меня поцелуем — они улыбались и пока длился он, и потом, когда она отстранилась. Давно уже нет больше на свете ни Анхелики, ни той Испании, о которой веду я рассказ, но до сих пор не изгладилась из моей памяти эта улыбка. Та самая, что играла на ее устах всякий раз, как Анхелика творила очередное зло, всякий раз, как подвергала мою жизнь смертельному риску, всякий раз, как целовала мои шрамы. Один из них, о чем я вам в свое время поведал, остался от удара, который она же мне и нанесла.

Помню, что испытывал я и гордость. Какие чувства обуревают человека в бою? Прежде всего, конечно, страх, задор, безумие. Потом — устало-покорное безразличие ко всему на свете. Но если посчастливится ему выжить и если он не пальцем деланый, а настоящий мужчина, то ощутит еще и толику гордости за то, что исполнил свой долг. Нет-нет, господа, сейчас речь не о присяге, принесенной Богу и королю, не о порядливости работника, брезгующего есть даровой хлеб, и даже не о тех обязательствах, какие имеются у каждого из нас перед друзьями-товарищами. Я о другом — о том, чему выучил меня капитан Алатристе: о долге сражаться, когда надо сражаться, сознавая, что за спиной у тебя — родина и рота, ибо по зрелом размышлении приходишь к выводу: ни та, ни другая не достаются тебе случайно. Я толкую о том, что надо покрепче сжать рукоять, потверже стать, где стоишь, и продать свою шкуру подороже, а не с безгласной покорностью овцы на бойне. Я разумею, что познал и на собственном опыте убедился: очень редко предоставляет нам жизнь возможность с достоинством и честью потерять ее.

Ну, короче говоря, я пустился на поиски своего хозяина. В этом кромешном аду, где сыпались удары, гремели выстрелы, метались, волоча за собой кишки, лошади со вспоротым брюхом, рыскал я с кинжалом в руке, зовя капитана Алатристе. Там и тут, повсюду и везде шло смертоубийство, но уже не во славу нашего государя, а только чтоб жизнь спустить не за бесценок. Плотно сцепясь в клубок, резались мы с голландцами, и только по красным или же оранжевым перевязям можно было отличить своих от чужих, понять, кому всаживать клинок в брюхо, на чье плечо опереться.

Я впервые был в настоящем бою — в отчаянной схватке со всем, что определялось понятием «враг». Конечно, мне и раньше приходилось бывать в раз-

Резня

ных переделках — в Мадриде я застрелил человека и скрестил оружие с Гвальтерио Малатестой, а здесь, во Фландрии, штурмовал городские ворота в Аудкерке, да и в других местах пускал в ход пистолет или кинжал: кто посмеет сказать, что это — не боевой опыт? Да и сегодня разве я не добил кинжалом раненного капитаном еретика? Разве не был выпачкан вражьей кровью мой колет? Но никогда прежде, до этой атаки голландцев, не охватывало меня сущее безумие, не доходил я до той черты, где удача значит больше, нежели отвага или ловкость. Топчась на окровавленной траве, попирая раненых и убитых, сойдясь с врагом грудь в грудь, так что и от пик, и от аркебуз, да и от шпаг проку уже не было никакого — вся надежда на кинжал, — беседовали испанцы с голландцами, время от времени пистолетным выстрелом в упор ставя точку в этом диалоге. Право, затрудняюсь объяснить, как сумел я уцелеть в этой резне, знаю только, что по прошествии скольких-то мгновений или столетий — само время текло в этот день не так, как должно, — вынесло меня, оглушенного, изможденного, полного одновременно и ужаса, и боевого задора, прямехонько к тому месту, где стояли капитан Алатристе и его товарищи.

Богом клянусь, это были сущие волки! В хаосе рукопашной схватки островком выделялся взвод моего хозяина, в миниатюре повторявший боевой порядок полка — защищая друг другу спину, они действовали шпагами и кинжалами так же споро и стремительно, как орудует своими челюстями волк. И не кричали для поднятия духа «Испания!» или «Сантьяго!», нет — бились, сжав зубы, чтоб не тратить сил, потребных для умерщвления еретиков, а уж это, поверьте, они делали на совесть. Мелькала окровавленная тряпка на голове Себастьяна Копонса, наполовину обрубив копья, сдерживали натиск голландцев Гарроте и Мендьета, по самую рукоять покрыты были кровью шпага и кинжал в руках капитана Алатристе. Здесь же дрались братья Оливаресы и галисиец Ривас. Что же касается Хосе Льопа, то он мертвый валялся на земле. Я не сразу признал уроженца Майорки, потому что аркебузная пуля снесла ему полчерепа.

Диего Алатристе — без шляпы, со взлохмаченными, влажными, давно не мытыми волосами, падавшими ему на лоб, закрывавшими уши, — стоял, широко расставив, будто вколотив, ноги в землю, и лишь воспаленные глаза, опасным огнем сверкавшие на черном от пороховой копоти лице, говорили что и ему не чужда ярость боя. Осмотрительно и скупо тратя силы, будто черпая их из какого-то тайного и несякнущего кладезя, капитан наносил удары расчетливо и точно, и оттого, вероятно, они всякий раз оказывались смертельными. Парировал выпады, останавливал летящий прямо в грудь наконечник копья и при малейшей возможности опускал руки, давая себе передышку, прежде чем снова вступить в бой. Я приблизился, но он ни знаком, ни словом не показал, что заметил меня; казалось, пребывает он вдали отсюда, в конце какого-то долгого пути, в преддверии ада и дерется, не оглядываясь назад, не оборачиваясь.

У меня так затекла рука, что в конце концов пальцы, сжимавшие кинжал, сами собой разжались, и я выронил его. Наклонился подобрать. А когда стал выпрямляться — увидел нескольких голландцев: вопя во все горло, они ринулись на нас. У самых ушей прожужжало несколько мушкетных пуль, застучали, ударяясь и сталкиваясь, копья. Вокруг падали люди, а я, пытаясь выпрямиться, понял, что пробил мой час. Что-то стукнуло меня по голове, все поплыло, и замелькали перед глазами бесчисленные святящиеся мушки. Теряя сознание, я из последних сил стискивал в руке кинжал, не желая расставаться с ним: все мне стало безразлично, кроме одного — не хотелось, чтобы нашли меня безоружным. Потом вспомнил мать и непослушными губами забормотал молитву.

— Отче наш... Gure Aita... — тупо повторял я по-испански и на родном языке, не в силах вспомнить, как там дальше. В этот миг кто-то ухватил меня за ворот колета и поволок по траве, заваленной телами. Я раза два наугад слабо ткнул кинжалом, считая, что меня тащит голландец, но последовавшие один за другим подзатыльники заставили меня уняться. И вдруг я оказался внутри небольшого круга, очерченного ногами в заляпанных грязью сапогах, а над головой услышал дивный концерт для стали, с лязгом и звоном полосующей сталь, со свистом рассекающей ткань и плоть, с хрустом дробящей и мозжащей кости, для стали, говорю, и множества глоток, исторгающих сиплые крики ярости, боли, ужаса, а равно и предсмертные хрипы. Сзади, оттуда, где неколебимо стояли вокруг знамен основные наши силы, горделиво-невозмутимая барабанная дробь, как и прежде, приказывала держаться во славу старой бедной Испании.

— Отходят! Отходят! Вперед марш!

Теперь, когда стало понятно, что картахенцы выстояли, хотя в первых шеренгах живых уже не осталось — эти бойцы пали, с места не сойдя, — грянули трубы, а полковой барабан рассыпал дробь поживее, и рокот его подхватили барабаны полков, идущих к нам на выручку: над плотиной и вдоль дороги на Руйтерскую мельницу заколыхались их знамена, засверкали острия их копий. Появилось долгожданное подкрепление. Слева от нас выдвигался эскадрон итальянских кавалеристов, везших за седлом стрелков; всадники приветственно махали нам, прежде чем, переведя коней в галоп, ударить на голландцев, которые отступали, смело могу сказать, в полнейшем беспорядке, ища спасения в лесу. Отряд мушкетеров и латников беглым шагом уже достиг противоположной стороны дороги, спустясь к тому месту, где еще совсем недавно противник крошил стойких валлонов.

— Вперед! Вперед! Испания и Сантьяго!

Испанский лагерь огласился криками торжества — солдаты, которые все утро хранили упорное молчание, теперь восторженными воплями славили Пречистую Деву и Святого Иакова, даровавших нам победу; измученные ветераны опускали оружие, целовали свои четки и ладанки. Барабан зарокотал, призывая начать безжалостное и беспощадное преследование обращенного вспять врага, захватить его обозы и прочую добычу, сполна расквитаться за изнурительный бой, длившийся столько часов кряду. Сломав строй, наши бросились вдогон за неприятелем, и первыми их жертвами стали раненые и от-

Резня

ставшие, которым разбивали головы, отсекали руки-ноги, резали глотки, делали такие сквозные прорехи, что никакой иглой не заштопаешь, и никому не было ни пощады, ни жалости, ибо всякий знает: испанская пехота отличается стойкостью в обороне, напором в наступлении и лютой жестокостью — в час мести. Не остались в сторонке итальянцы с валлонами: сии последние были особенно ретивы, ибо стремились отплатить за кровь своих погибших товарищей из полка Карла ван Сойста. Так что красиво вписалась в пейзаж тысячезвенная цепь солдат, рубящих, колющих, потрошащих карманы раненых и убитых, раскиданных по всему полю, причем многие тела искромсаны были до такой степени, что разве что ухо оставалось целым.

Вместе с остальными предавались этому занятию капитан Алатристе и прочие солдаты его взвода, исполненные, сами понимаете, господа, и жара, и ража, вдогонку же за ними поспевал и ваш покорный слуга, совершенно одурелый и от боя, и от удара по башке, оставившего на ней шишку с куриное яйцо величиной, что не мешало мне, впрочем, весьма воинственно драть глотку. По пути вынул я из рук у первого же убитого голландца превосходную шпагу золингеновской стали, сунул в ножны кинжал и размахивал своим трофеем, разя всех, кто попадался под руку, с проворством прирожденного шпиговальщика. Все это было одновременно забавой, убийством и сумасшествием, и превратилось поле боя в бойню, где падали под нашими ударами британские бычки, голландские барашки. Иные даже не сопротивлялись. Помню, как, настигнув скольких-

то голландцев, застрявших по пояс в торфянике, мы
перебили их всех до единого, как бьют рыбу остро-
гой на отмели, хоть они бросили оружие, подняли
руки и молили о пощаде: кололи и рубили, покуда
черноватая вода болотца не сделалась сплошь красной, покуда все они не закачались на поверхности,
словно разделанные на куски тунцы.

Нечего сказать, разгулялись мы на просторе, так
разгулялись, что уняться уже не могли. Гнали еретиков миль пять и до самого вечера, и присоедини-
лись к нашей травле и мои товарищи-*мочилеро*, и
окрестные крестьяне, в алчности своей не делавшие
различий между своими и чужими, и даже кое-кто
из маркитанток, гулящих девок и прочих спутниц
действующей армии, которые слетелись из Аудкерка, почуяв наживу или, если угодно, — на запах добычи. Там, где за нами по пятам, подбирая объедки,
проходила эта шакалья стая, не оставалось уже ничего, кроме дочиста ободранных и догола раздетых
трупов. Я же следовал в первых рядах, не чувствуя усталости, словно ярость и жажда мести придали мне
силы гнать врага хоть до скончания века и на край
света. Я — прости меня, Господи — сорвал себе голос
и до ушей перемазался кровью этих несчастных. За
лесом, над горящими мызами разливалась уже крас-
новатая вечерняя заря, и не было ни дороги, ни тро-
пинки, ни канала, не заваленных грудами убитых. И
все же мы наконец притомились и остановились в
крохотной — домиков пять-шесть — деревушке,
обитатели коей, включая скотину и птицу, были вы-
резаны поголовно. Кучка отступавших еретиков по-

пыталась было закрепиться тут и занять оборону, и, покуда мы возились с ними, день померк окончательно. И вот, освещенные заревом горящих домов, расположились мы на отдых, и, дыша как загнанные кони, свалили наземь трофеи, сами попа́дали, кто где стоял, ибо внезапно обуяла всех неимоверная усталость. Только полный олух может думать, будто победа веселит; приходя мало-помалу в себя, мы молчали, старались не смотреть друг на друга, будто стыдясь наших всклокоченных грязных волос, почерневших, искаженных лиц, воспаленных глаз, кровавой коросты, покрывавшей одежду и оружие. Теперь слышно было лишь, как стропила и балки трещат в огне, а потом с грохотом рушатся. Впрочем, доносились из окрестной тьмы крики и выстрелы тех, кто еще не угомонился и продолжал преследование.

Совершенно измочаленный, я присел на корточки, привалился спиной к стене дома. Было так дымно, что я обливался слезами, дышал с трудом и умирал от жажды. В свете пожара я видел Курро Гарроте, увязывавшего в узелок добытые у врага перстни, цепочки и серебряные пуговицы, распростертого на земле Мендьету — если бы не его могучий храп, он казался бы не менее дохлым, чем раскиданные там и сям голландцы, — капитана Брагадо с подвязанной рукой, прочих испанцев, сидевших кучками или поодиночке. Не сразу, исподволь стал завязываться разговор вполголоса, пошли расспросы о судьбе того или иного товарища. Кто-то осведомился насчет Льопа, но ответа не дождался. К костеркам, на которых жарили мясо, вырезанное из туши убитой коровы, начали постепенно подтягиваться солдаты, усаживаться вокруг. Голоса зазвучали громче, и вот уже следом за чьим-то удачным замечанием или шуткой грянул хохот. Отлично помню, как поразил он меня — после такого дня казалось, что все мы смеяться разучились навсегда.

Повернув голову к Алатристе, я встретился с ним глазами. Он сидел у стены в нескольких шагах от меня, держа в руках будто приросшую к ним аркебузу. Рядом, откинув к стене голову, примостился, со шпагой на коленях, Себастьян Копонс — все лицо покрыто бурой коркой запекшейся крови, а сдвинутый к затылку платок открывает рану на виске. Колеблющееся пламя, догладывая горевший невдалеке дом, через равные промежутки времени выхватывало из темноты их лица. Блестящими от огня глазами Диего Алатристе всматривался в меня так пристально, словно желал что-то прочесть в моей душе. А я испытывал одновременно смущение и гордость, глубочайшее изнеможение и прилив сил, ужасался, горевал, печалился и вместе с тем ликовал оттого, что остался жив — уверяю вас, господа, так оно все и было, все эти разноречивые чувства и ощущения вкупе со многими другими разом теснятся в душе человека, невредимым вышедшего из боя. Капитан молча продолжал рассматривать меня, и поскольку пытливость эта не была окрашена чем-либо еще, мне в конце концов даже стало неловко: я ведь ждал похвалы, душевной улыбки, слов одобрения — все же я вел себя как настоящий мужчина. И потому меня как-то обескуражил этот изучающий и по обыкновению невозмутимый взгляд, неизвестно что выра-

Резня

жающий. Не удавалось мне угадать, какие именно чувства или полное их отсутствие таятся в нем. Не удавалось и никогда не удалось, хотя по прошествии многих лет, когда был уже более чем взрослым, обнаружил я — ну, или мне это показалось, — что и сам смотрю именно таким взглядом.

В беспокойстве я решил как-нибудь да нарушить нестерпимо тягостную тишину. И хоть все тело ныло, выпрямился, пристегнул к поясу трофейную шпагу и обратился к хозяину:

— Пойду, пожалуй, промыслю чего-нибудь?

Багровые сполохи играли на лице Алатристе. Помедлив несколько мгновений, он ответил мне молча: кивнул — иди, мол. И долго смотрел вслед, когда я, предшествуемый своей тенью, двинулся прочь.

Проникавшие через окно отблески огня освещали стены красным. В комнате все было вверх дном — мебель переломана, шторы сорваны, ящики вывернуты. Осколки и черепки похрустывали под ногами, покуда я бродил по дому, отыскивая кладовую или чулан, до которых не добрались удалые наши ребята. Помню, какое уныние наводило это разграбленное, погруженное в полумрак жилище, лишившееся тех, кто одушевлял и согревал его; этот разоренный, опустошенный и запустелый дом, где прежде, без сомнения, раздавался смех ребенка, звучали нежные слова. И мало-помалу любопытство постороннего, без спросу вторгшегося в запретное пространство чужой жизни, уступило место скорби, нараставшей с каждой минутой. Мне вспомнился родной

дом в Оньяте, представилось, что война и его разо-
рила, а мать и сестер, чтобы хуже не было, заставила
бежать. Представилось, как ходит по комнатам какой-нибудь юный чужеземец, созерцая разбросан-
ные по полу обгорелые обломки — жалкие останки
наших жизней, наших воспоминаний. Со столь
свойственным солдатам себялюбием я порадовался,
что нахожусь не в Испании, а во Фландрии. Ибо честью вас уверяю, господа: в таком деле, как война,
неизменным утешением служит мысль о том, что
страдают чужие, и завидной представляется участь
тех, у кого никого нет в целом мире и кому, кроме
собственной шкуры, ни жалеть, ни терять нечего.

Не найдя ничего, заслуживающего внимания, я
справил малую нужду у стены и уже собрался выйти
наружу, как вдруг непонятный звук приковал меня к
месту. Я замер, прислушиваясь, и вот он повторил-
ся — еле уловимый стон, протяжный и жалобный,
доносился из узкого прохода, заваленного всяким
хламом и мусором. Я решил было, что там в щели,
придавленная чем-нибудь, скулит собачонка, но потом понял — звуки эти производит человеческое существо, обнажил кинжал, ибо от шпаги в такой тесноте проку мало, и, держась вплотную к стене, ощу-
пью двинулся вперед.

   Зарево за окнами освещало не более половины
комнаты, и красноватые тени плясали по стене, на
которой висел исполосованный клинками ковер.
Под ним, в углу, образованном стеной и разбитым
шкафом, я увидел человека и по тусклому блеску кирасы признал в нем солдата: длинные, светлые, спу-

танные волосы слиплись от крови и грязи, а всю правую сторону лица страшенный ожог превратил в разверстую рану. Он полусидел неподвижно, устремив потускнелый взор к свету, и с полуоткрытых губ вновь сорвался тихий, длительный, жалобный стон — но на этот раз в него вплетались невнятные слова на чужом языке.

С кинжалом наготове я медленно приблизился, не сводя настороженного взгляда с этого человека, внимательно следя за его руками на тот случай, если в них вдруг окажется оружие. Но нет — несчастный был уже в двух шагах от того берега, куда причаливает перевозчик по имени Харон. Я присел перед раненым на корточки и несколько мгновений с любопытством рассматривал его, но он словно не заметил меня, и даже когда я тронул его за руку, продолжал неотрывно глядеть в окно, протяжно стонать и лепетать что-то бессвязное и невнятное. Настоящий двуликий Янус, подумал я тогда: одна половина лица почти не пострадала, зато другая сожжена и смята в лепешку, сочится крохотными капельками крови. Обуглены были и кисти рук. Заметив на задах дома в объятом пламенем хлеву трупы голландцев, я сообразил, что этот, вероятно, был ранен и в поисках убежища приполз сюда по горящим головням.

— Flamink? — спросил я.

В ответ прозвучал все тот же нескончаемый стон. Тут я разглядел, что раненый ненамного старше меня, а по одежде и кирасе заключил, что это — один из кирасир, атаковавших нас утром возле мельницы. Совершенно не исключено было, что мы дрались неподалеку друг от друга, когда голландцы и англичане пытались прорвать наш строй. «Какие странные фортели выкидывает жизнь, — глубокомысленно подумал я, — какие причудливые арабески сплетает». Но после пережитого сегодня ужаса, после преследования и резни я не испытывал к нему ни вражды, ни злорадного чувства. Много испанцев погибло в этот день, но врагов — еще больше. Чаши моих весов уравновесились — распростертый передо мной человек был беззащитен, а я пресытился кровью. И потому спрятал кинжал в ножны. Выбрался наружу, подошел к капитану Алатристе и прочим.

— Там — человек, — сказал я. — Солдат.

Алатристе не переменил позы при моем появлении, лишь поднял голову:

— Наш или голландец?

— Голландец, наверно. Или англичанин. Еле живой.

Капитан медленно покивал, словно соглашаясь с тем, что странно было бы в такой час наткнуться на еретика целого и невредимого. Потом пожал плечами — зачем, мол, я все это рассказываю?

— Думаю, надо бы помочь ему.

Тогда он наконец — и очень медленно — перевел взгляд на меня.

— Ты думаешь... — пробормотал он.

— Да.

Какое-то время он молча рассматривал меня. Потом полуобернулся к Себастьяну Копонсу, который по-прежнему молча сидел рядом, откинув голову к стене и сдвинув свой платок к самому затылку. Алатристе коротко переглянулся с арагонцем и вновь взглянул на меня. Стало слышно, как потрескивает пламя.

— Думаешь, значит... — повторил он рассеянно.

С трудом разминая затекшие ноги, капитан пошевелился, поднялся. Он был явно не в духе и очень утомлен. Я видел, что Копонс тоже встал.

— Где он?

— В доме.

Я провел их по комнатам и узкому коридорчику туда, где оставил раненого. Тот все так же неподвижно полусидел в углу и еле слышно стонал. Алатристе остановился на пороге, оглядел голландца и лишь затем подошел вплотную. Склонился над ним и довольно долго всматривался.

— Голландец, — заключил он.

— Мы можем помочь ему? — спросил я.

Плясавшая на стене тень замерла.

— Конечно.

Захрустели под сапогами обломки плитки — это Себастьян Копонс прошел мимо, приблизился к раненому и, заведя руку за спину, достал *бискаец*.

— Идем отсюда, — сказал мне капитан.

Противясь давлению тяжелой его руки, которая влекла меня к выходу, я успел увидеть, как Копонс взмахом кинжала перерезал голландцу горло от уха до уха. Дрожа от ужаса, я вскинул голову, чтобы взглянуть в лицо Алатристе. Оно тонуло во мраке, но я знал, что глаза его устремлены на меня.

— Но ведь... — запинаясь, начал было я и тотчас осекся, мгновенно осознав, что слова бесполезны.

Повинуясь безотчетному порыву, дернул плечом, чтобы стряхнуть руку Алатристе. Не тут-то было — он держал меня крепко. Копонс выпрямился и с обычной своей невозмутимостью обтер лезвие о рукав убитого, сунул кинжал в ножны. Потом обошел нас и по коридорчику двинулся наружу, не вымолвив ни слова.

Я резко крутанулся на месте и наконец высвободился. Шагнул к убитому. Все осталось по-прежнему — только стихли стоны, да по латному нагруднику поползла густая, темная, поблескивающая струя, и багрянец ее сливался с сочившимся сквозь стекло заревом. Юный голландец казался еще более одиноким, чем прежде, — до того одиноким, что сердце мое сжалось нестерпимой жалостью: показалось на миг, будто это я полусижу на полу, привалясь спиной к стене, устремив неподвижные широко раскрытые глаза во тьму за окном. И ведь кто-то ждет его возвращения, а он не вернется никогда. Мать ли, невеста, сестра, отец — кто-то ведь молится за него, просит бога поберечь его в бою, сделать так, чтоб не ранили, не убили, чтобы он пришел домой. Должно быть, там цела еще его младенческая колыбель, там стены, видевшие его маленьким, помнят, как он рос и мужал. И никто покуда не знает, что его больше нет.

Не помню, как долго стоял я в оцепенении, глядя на мертвого. Потом за спиной раздались шаги. Я и не поворачиваясь понял, что это капитан Алатристе: повеяло таким знакомым терпким запахом — смесью пота, кожи, металла. Затем послышался его голос:

— Каждый знает, когда приходит его час... Вот и он знал.

Резня

Я не ответил, продолжая смотреть на голландца. Теперь под его вытянутыми ногами набралась уже целая лужа крови. Невероятно, подумалось мне, сколько же в нас крови — полведра, по крайней мере. И как легко и просто выпустить ее наружу.

— Вот и все, что мы могли для него сделать, — добавил капитан.

Я промолчал и на этот раз, по звукам угадывая, что происходит рядом со мной: вот Алатристе постоял минутку, словно раздумывая, надо ли все же вызвать меня на разговор, и между нами будто повисло безмерное множество невысказанных слов; не произнесешь их сейчас — они не произнесутся уже никогда. Но решил, видно, что не стоит, а потом я услышал его удаляющиеся шаги.

Тут меня будто прорвало. Никогда прежде не испытанная ярость — глухая, ледяная — накатила на меня. Ярость, перемешанная с таким же горчайшим отчаяньем, какое всегда чудилось мне в молчании Алатристе.

— Хотите сказать, капитан, что мы совершили благое дело? Удружили ему? А?

Никогда еще не позволял я себе разговаривать со своим хозяином таким тоном. Стук сапог замер, и прозвучал тусклый безжизненный голос.

— Моли бога, Иньиго, чтобы в твой смертный час кто-нибудь вот так же удружил бы тебе, — произнес Алатристе, и мне легко было представить в ту минуту, как незряче уставились в пустоту его светлые глаза.

Вот как было дело в ту ночь, когда Себастьян Копонс прирезал раненого голландца, а я стряхнул с плеча руку Диего Алатристе. В ту ночь, когда я, сам того не зная, пересек таинственную черту, которую рано или поздно приходится переступать всякому человеку с умом и сердцем. Стоя в одиночестве перед трупом голландца, я по-иному стал смотреть на мир. И ужасная истина, лишь слабое предвестие которой угадывал я прежде в прозрачно-зеленоватых глазах капитана, ныне открылась мне: тот, кто убивает издали, понятия не имеет о том, что такое убийство. Тот, кто убивает издали, не усваивает уроков жизни и смерти — он не рискует, не обагряет свои руки кровью, не слышит дыхания противника, не видит в его глазах ужас, или злобу, или безразличие. Тот, кто убивает издали, не подвергает испытанию крепость своей руки, силу духа и совесть, не творит призраков, которые потом всю жизнь будут являться к нему по ночам, тревожа его сон. Тот, кто убивает издали, — негодяй, который заставляет других делать за него грязную и кровавую работу. Тот, кто убивает издали, — наихудший из людей, ибо ему неведомы ярость, ненависть, жажда мести, равно как и жалость или раскаянье. И потому тот, кто убивает издали, не знает, чего лишен.

VII

Осада

От Иньиго Бальбоа — дону Франсиско де Кеведо Вильегасу.

В таверну «У Турка», на улице Толедо, подле Пуэрта-Серрада, в Мадриде.

Дорогой дон Франсиско:

Пишу к Вам во исполнение пожелания капитана Алатристе, который хотел показать Вам, каких успехов я достиг в каллиграфии. Извините, если встретятся ошибки. Я, как и прежде, при каждом удобном случае берусь за книгу и при первой возможности практикуюсь в письме. В свободное время, хотя у солдата его немного, а у мочилеро — еще того меньше, я выучился у падре Салануэвы кое-каким латинским стихам. Падре Салануэва — это наш полковой капеллан, которому, по словам наших солдат, до мужа праведного — как до Луны, однако он чем-то весьма обязан моему хозяину и оказывает ему всякие услуги. Со мною он ласков и в свободное (от пьянства) время старается образовать меня с помощью «Записок о Галльской войне», сочиненных Юлием Цезарем, а также книг Ветхого и Нового Завета. Кстати о книгах — весьма благодарен Вам за присылку второго тома «Дон Кихота», который я читаю с таким же удовольствием и пользой для себя, как и первый.

Что же касается нашей жизни во Фландрии, то спешу уведомить вас, дон Франсиско, о некоторых изменениях, произошедших за последнее время. С окончанием зимы окончилась и наша гарнизонная жизнь по берегам Остерского канала. Наш Картахенский полк переброшен под стены Бреды и принимает участие в осаде крепости. Укреплена она славно, и приходится нам нелегко — без устали ковыряемся в земле, роем подкопы, подводим мины и контрмины, так что больше похожи на кротов, нежели на солдат. От такой жизни мы измучились, заросли грязью и обовшивели. К тому же голландцы не дают нам покоя, постоянно предпринимая вылазки и обстреливая со стен, стены же сложены не из кирпича, а из земли, так что наша артиллерия не причиняет им особого ущерба. Город прикрывают пятнадцать превосходно укрепленных бастионов и рвы с четырнадцатью равелинами, причем вся эта, как говорят наши инженеры, фортификационная система выстроена так продуманно и хитроумно, что все ее элементы взаимодействуют друг с другом, отчего всякая наша попытка приблизиться стоит нам неимоверных усилий и значительных потерь. Руководит обороной голландец Юстин Нассау, родственник и однофамилец небезызвестного Морица Оранского. Ходят слухи, будто гарнизон у него разноплеменный: французы и валлоны защищают Гиннекенские ворота, англичане — Больдукские, а фламандцы с шотландцами — Антверпенские. Все они весьма поднаторели в военном деле, и потому взять город приступом нам не удалось. Пришлось начать правильную осаду, каковую ценой многих жертв и изнурительных трудов ведет наш генерал дон Амбросьо Спинола, у которого под началом — пятнадцать полков, набранных из тех, кто исповедует святую католическую веру. Испанцы, хоть и оказались среди них в меньшинстве, выполняют самые опасные и трудные задания, требующие отличной боевой выучки и дисциплины.

Ах, если бы Вы, дон Франсиско, могли своими глазами увидеть, с какой изобретательностью и выдумкой ведутся осадные работы! Клянусь, это истинное чудо, какого не найти больше нигде в Европе, — все деревушки вокруг Бреды соединены между собой траншеями и редутами, призванными отбивать вылазки осажденных и воспрепятствовать тому, чтобы неприятель перебросил к ним подкрепления. Случается, что мы по целым неделям не рубим, а роем, не стреляем, а копаем, так что руки наши стали привычней к мотыге и кирке, нежели к пике и аркебузе.

Местность эта — низменная, равнинная, много лугов и рощ; вина здесь мало, а вода — скверная, край вконец разорен войной, и потому во всем у нас недостача. Мера пшеницы стоит восемь флоринов, да еще пойди найди ее. Репа — и та на вес золота. Здешние крестьяне и торговцы если и решаются подвозить нам съестные припасы, то лишь украдкой. Кое-кто из испанцев, сочтя, что голод — не тетка, не брезгует и кониной, благо убитых и павших от бескормицы лошадей — в избытке. Жуткое дело. Мы, пажи-мочилеро, отправляемся на промысел с каждым днем все дальше, забредая иной раз даже в расположение неприятеля и рискуя повстречаться с кавалерийскими разъездами голландцев. В этом случае — пощады не жди: зарубят или возьмут в плен. Мне самому не раз случалось доверять свою шею проворству собственных ног. Как я уже сказал, и в самой Бреде, и в нашем лагере сильно ощущается нехватка провианта, но это отчасти играет нам на руку и служит торжеству истинной веры, ибо еретики из числа французов, англичан, шотландцев и фламандцев избалованы вольготной сытой жизнью и оттого переносят голод и всякие лишения хуже, нежели наш брат испанец, который, и живя на родине, и воюя на чужбине, привык, что, мол, запил черствую корку хлеба глотком воды или вина, да и ладно.

В остальном же все у нас хорошо, и мы, хвала Господу, не хвораем. Завтра исполняется мне пятнадцать лет, а с тех пор, как мы не виделись, я подрос на несколько дюймов. Капитан Алатристе — все такой же: мало мяса на костях, еще меньше слов на устах. Незаметно, чтобы мытарства наши хоть как-то на нем отразились. Потому, наверно, что он, как сам говорит (топорща усы движением губ, отчасти заменяющим ему улыбку), и так всю жизнь жил впроголодь, военный же человек вообще должен быть привычен ко всему, а наипаче — к скудости. Как Вы, дон Франсиско, помните, мой хозяин не охотник писать письма, но попросил меня поблагодарить Вас за те, которые Вы посылаете нам. А также передать, что он Вам низко кланяется и шлет самый сердечный привет завсегдатаям таверны «У Турка», равно как и ее хозяйке Каридад.

Теперь последнее. От капитана я узнал, что Вы в последнее время часто бываете во дворце. Если это так, вполне вероятно, что Вы повстречаете там некую юную особу по имени Анхелика де Алькесар, вам, без сомнения, известную. Она была и, надо думать, остается фрейлиной ее величества королевы. Дерзну обратиться к Вам с просьбой сугубо личного свойства — выбрав благоприятный момент, сообщите означенной Анхелике, что Иньиго Бальбоа, служа нашему государю и святой вере, пребывает сейчас во Фландрии, где сражается честно, как подобает настоящему солдату и истинному испанцу.

Если Вы, дон Франсиско, сделаете это для меня, то чувство дружеского расположения, которое я к Вам неизменно питаю, возрастет безмерно.

Храни Вас Бог, как, впрочем, и нас всех.

Иньиго Бальбоа Агирре
(Дано сие под стенами Бреды, апреля первого дня в лето тысяча шестьсот двадцать пятое)

Из траншеи слышно было, как ведут подкоп голландцы. Диего Алатристе приложил ухо ко вбитой в дно жерди, предназначенной для поддерживания фашин и тур, и снова услыхал приглушенные звуки, доносившиеся из недр земли. Вот уже неделю осажденные работали денно и нощно, роя тоннель к траншее, откуда осаждающие с таким же усердием тянули подземный ход в сторону бастиона под названием «Кладбище». Так что пядь за пядью продвигались мы навстречу друг другу: одни намеревались подвести мину, а другие — контрмину; одни собирались взорвать несколько бочонков пороха под голландскими укреплениями, другие — преподнести в точности такой же славный гостинчик саперам его католического величества. Вопрос был в том, кто окажется трудолюбивей и успеет первым. Кто прибудет к месту назначения раньше, тот и запальные шнуры подожжет.

— Вот же ж проклятое животное, — сказал Гарроте.

Вытянув шею и прищурив левый глаз, он стоял, выставив мушкетный ствол в подобие бойницы, образованной крест-накрест приколоченными досками, которыми был обшит бруствер. Дымился фитиль. Гарроте брезгливо морщил нос. Под проклятым животным он разумел дохлого мула, третьи сутки лежавшего на солнцепеке в нескольких футах от нашей траншеи. Это был наш, испанский, мул — он удрал из расположения и безмятежно резвился на ничейной земле, покуда посланная со стены пуля не уложила его копытами вверх. Теперь разлагающаяся туша смердела и приваживала к себе жужжащие полчища мух.

— Упустил, не достанешь, — заметил Мендьета.

— А вот достану.

Мендьета, расположившись на дне траншеи, у ног Гарроте, с величайшей обстоятельностью, столь присущей нам, баскам, бил вшей, которые мало того что наслаждались жизнью в наших волосах и обтрепанной одежонке, так еще и невозмутимо выходили на гулянье. Бискаец, увлеченный своим занятием, поддразнивал Гарроте без особой охоты — так просто. Был он небрит невесть сколько времени, оборван и перемазан землей — как и все, не исключая и самого Алатристе.

Осада

— Засек?

Гарроте мотнул головой. Шляпу он снял, чтоб голландцам труднее было целиться. Сальные кудрявые волосы, заплетенные в косицу, лежали на заношенном воротнике колета.

— Сейчас не вижу... Да покажется, куда он денется...

Алатристе, стараясь не высовываться из-за бруствера, быстрым взглядом окинул место действия. Голландец, о котором шла речь, был, скорее всего, один из саперов, рывших тоннель футах в двадцати отсюда. Тут как ни старайся, не спрячешься, покажешься — пусть хоть голову, а высунешь, а Гарроте больше и не надо. Он славился своей меткостью и теперь терпеливо подкарауливал жертву. Уроженцы Малаги — они ведь такие: весь свет обрыщут, добычу отыщут и за смердящего мула взыщут.

В зигзагообразной траншее, ближе других — ну, то есть совсем впритир — подходившей к голландским аванпостам, находилось десятка полтора солдат. Взвод Диего Алатристе проводил здесь две недели, а потом неделю отдыхал, тогда как остальные подчиненные капитана Брагадо размещались в ямах природных и рукотворных, занимая позиции между бастионом «Кладбище» и рекою Мерк, то есть подалее, но все же на дистанции, не превышавшей двух аркебузных выстрелов от крепостной стены и самого городишки Бреда.

— Вот он, нехристь... — пробормотал Гарроте.

Мендьета, только что уловивший вошку и разглядывавший ее, перед тем как казнить, с родственным любопытством, вскинул голову:

— Засек?

— Держу на мушке.

— Ну и пусть катится в геенну.

— Куда ж еще?

Гарроте провел языком по губам, раздул фитиль и теперь медленно наводил мушкет, щуря левый глаз и поваживая кончиком указательного пальца по спусковому крючку, словно это был сосок веселой девицы. Выглянув еще раз, Алатристе заметил мелькнувшую над голландской траншеей непокрытую голову.

— Еще один сдохнет без покаяния, — медленно проговорил Гарроте.

Следом раздался выстрел. Вспышка, облачко порохового дыма — и голова голландца исчезла. Послышались крики ярости, две-три пули взвихрили землю перед бруствером испанской траншеи. Гарроте, уже успевший юркнуть вниз, смеялся сквозь зубы. Грянули новые выстрелы, сопровождаемые злобной бранью по-фламандски.

— Да пошли бы вы... — сказал Мендьета, готовя к расправе очередное насекомое.

Себастьян Копонс открыл и тотчас вновь закрыл один глаз. Выстрел Гарроте прервал послеобеденную дрему, которой он предавался, присев у бруствера и уткнув голову в засаленный рукав. Братья Оливаресы тоже заинтересовались, подняли косматые — ну турки, сущие турки! — головы. Алатристе соскользнул вниз по земляной стенке, на военном языке именуемой «крутость», присел. Нашарил в сумке ломоть черствого черного хлеба, припасенный еще со вчерашнего дня. Поднес его ко рту и перед тем, как начать жевать, долго размачивал слюной. Тянуло тошнотворной вонью от туши мула, да и в самой траншее воздух не благоухал, так что изысканной трапезу назвать было нельзя, однако выбирать не приходилось — и этот-то ломоть был все равно что Валтасаров пир. До ночи провианта не подвезут — при свете дня к их траншее не подберешься: все простреливается.

Мендьета поймал очередную вошь и пустил ее гулять по ладони. Потом, наскучив игрой, прихлопнул. Гарроте прочищал шомполом еще горячий ствол аркебузы, напевая себе под нос что-то итальянское.

— Эх, кто в Неаполе не был... — проговорил он, осветив белозубой улыбкой по-мавритански темное лицо.

Весь взвод знал, что Курро Гарроте два года прослужил в Сицилийском полку и еще четыре — в Неаполе, а потом вынужден был сменить, так сказать, климат после череды не вполне ясных похождений: тут были и женщины, и поножовщина, и грабеж с подкопом и покушением на убийство, и срок в тюрьме Викариа, и добровольное заточение в церкви Ла-Капела — словом, все, что полагается.

Добавить следует, что в промежутке между тем и этим нашел Гарроте время поплавать на галерах нашего государя вдоль берберийского побережья и у восточных островов, разоряя земли нечестивых язычников, грабя турецкие суда. По его словам, в те годы он скопил столько, что мог бы преспокойно выйти в отставку. И вышел бы, кабы не бабы, во множестве чрезвычайном попадавшиеся ему на жиз-

ненном пути, да не погибельное пристрастие к
азартным играм, ибо относился наш Гарроте к тем,
кто при виде стаканчика с костями или свежей ко-
лоды теряет разум и готов проиграть с себя все.

— Италия... — тихо произнес он, устремив взор в
неведомую даль и позабыв убрать с лица плутоватую
улыбку.

Название страны прозвучало как имя женщины,
и капитан Алатристе знал, почему. Хоть плавания
его по морю житейскому были не столь разнообраз-
ны, как у Гарроте, ему тоже нашлось бы что вспомнить об Италии, тем паче что во фламандской траншее воспоминания эти делались особенно сладост-
ны. Как и все здешние ветераны, он тосковал по
этой стране, а точней говоря — по своей юности,
протекшей под благодатной синью Апеннинских
небес. В двадцать семь лет выйдя из полка, отличив-
шегося в Валенсии при подавлении восстания мо-
рисков, он добился перевода в Неаполь, чтобы
драться с турками, берберами и венецианцами. Своими глазами видел, как горела на траверзе Колеты
басурманская эскадра, высаживался с капитаном
Контрерасом на острова Адриатики, участвовал в из-
нурительном и кровопролитном деле при Керкене-
се, где с помощью однополчанина по имени Диего
Дуке де Эстрада вынес на себе из боя тяжело раненного юношу — будущего графа де Гуадальмедину. И
в те годы щедроты фортуны и прелести Италии неизменно чередовались с тяжкими мытарствами и
великими опасностями, однако им не под силу было
отравить сладостный вкус воспоминаний об увитых
виноградом беседках на пологих склонах Везувия, о

Осада

товарищах, о музыке, о вине, что подавали в таверне Чорильо, о прелести тамошних женщин. За вёдром — ненастье, за счастьем — несчастье, и в тринадцатом году его галера в Босфорском проливе нарвалась не в добрый час на турок: половину команды изрубили ятаганами, изрешетили стрелами, пустили чайкам на корм; сам Алатристе был тогда ранен в ногу, взят в плен, однако же повезло — корабль, в трюме которого везли его вместе с прочими, перехватили испанцы. По истечении еще двух лет, когда новому веку шел пятнадцатый год, Диего Алатристе, вступив в возраст Христа, оказался в числе полутора тысяч испанцев и итальянцев, которые, погрузившись на пять галеонов, четыре месяца кряду опустошали левантинское побережье, возвращаясь в Неаполь с богатейшей добычей. Но колесо Фортуны, крутанувшись в очередной раз, сбросило его во прах: большеглазая женщина, белокурая, но чернобровая, помесь испанки с итальянкой, из тех, что по виду мухи не обидят, а на деле совладают с полуротой аркебузиров, сначала попросила купить ей полфунтика генуэзских слив, потом — золотое ожерелье, потом — шелковых платьев, а потом, как водится, растрясла его до последнего грошика. Завершилось это приключение вполне в духе комедий Лопе: навестив свою красавицу в неурочное время, капитан застал ее в непозволительно тесном соседстве с неким незнакомцем, сохранившим на себе из одежды одну лишь сорочку. Хозяйка, нимало не смутясь, без заминки и запинки отрекомендовала его своим двоюродным братом, но кое-какие обстоятельства — да не кое-какие, а изрядные — лишали ее доводы должной убедительности и наводили на мысль о том, что приход Алатристе помешал излиянию родственных — или, может, двоюродственных? — чувств. Впрочем, в капитановы года подобной чуши уже не верят. Так что свистнувший наотмашь клинок одарил хозяйку отметиной поперек щеки, а гостю — он, кстати, так без штанов и вступил в схватку, что пагубно сказалось на его боевом духе и фехтовальном мастерстве, — вошел пяди на две между грудью и спиной; Алатристе же поспешил, пока не зацапали, убраться от греха подальше. В его случае это означало как можно скорей отплыть в Испанию, что ему сделать и удалось, благодаря давнему приятелю, помянутому уже Алонсо де Контрерасу, вместе с которым они, тринадцатилетние в ту пору, отправились во Фландрию сражаться под знаменами кардинала-принца Альберта.

— Брагадо идет, — сказал Гарроте.

И в самом деле командир роты шел по траншее, пригнувшись и сняв шляпу, чтоб не отсвечивать перед голландскими стрелками, засевшими на стене равелина. Тем не менее укрыть от них свою шестифутовую стать леонцу не удалось — словно приветствуя его появление, ударили один за другим два мушкета, и пули вжикнули над бруствером.

— Чтоб их разорвало... — проворчал Брагадо, обрушившись на землю между Копонсом и Алатристе.

В правой руке у капитана была шляпа, которой он обмахивал взмокшее от пота лицо, левая — на ней после памятного боя у Руйтерской мельницы не хватало мизинца и безымянного — придерживала шпагу. Посидел минутку и в точности, как незадолго

Осада

до этого — Диего Алатристе, приложил ухо к деревянной жерди, нахмурился.

— Торопятся, негодяи.

Откинулся назад, обирая с усов крупные капли пота, катившиеся с кончика носа.

— Принес вам скверные новости. Числом две.

Долгим взглядом окинул безрадостную картину — мерзость запустения, царившую в траншее, грязь, бедственный вид своих солдат. Сморщился от вони, испускаемой мулом.

— Хотя для нас, испанцев, если скверных новостей всего две, это уже добрые вести.

Сказавши это, снова помолчал, скривил лицо неприятной гримасой и почесал нос.

— Ночью убили Ульоа.

Кто-то негромко выругался, но остальные хранили молчание. Ульоа был старый солдат и хороший товарищ, их сослуживец, не так давно получивший под начало взвод, а с ним и капральские нашивки. Брагадо коротко объяснил, как дело было — пошли в разведку вдвоем с сержантом-итальянцем, а вернулся тот один.

— Кто его душеприказчик? — поинтересовался Гарроте.

— Я, — отвечал Брагадо. — И треть жалованья завещано на поминальные мессы.

Наступившее молчание послужило капралу эпитафией. Потом Копонс продолжил свою сиесту, а Мендьета — охоту на вшей. Гарроте, вычистив мушкет, решил привести в порядок ногти — такие же черные, как его душа: лишнее он обгрызал и выплевывал.

— Как там наша мина? — спросил Алатристе.

— Движется помаленьку. Земля чересчур рыхлая, да еще просачивается вода с реки. Саперам приходится крепи ставить, а это большая возня... Боюсь, как бы еретики не поспели раньше. Вот славно-то будет — рванет да и оторвет, с чем останемся?

С дальнего, невидимого отсюда конца траншеи грянули и тут же смолкли выстрелы. Алатристе глядел на капитана — тот никогда бы не пришел к ним затем лишь, чтобы размять ноги. Какую же вторую новость он принес?

— Вам, господа, назначено идти в штреки, — вымолвил наконец Брагадо.

— ...мать их в душу через семь гробов, — заметил по этому поводу Гарроте.

А штреки, надобно вам знать, — это узкие подземные проходы, укрепленные деревянными подпорками, проложенные поверху попонами и одеялами. Используют их, чтобы не дать противнику подвести мину, равно как и для того, чтобы продвинуться вперед, поближе к вражеским позициям, выйти на поверхность в траншеях голландцев и выкурить их оттуда, взрывая петарды, поджигая серу и мокрую солому. Жуткое дело, я вам доложу, — эти прогулки под землей на манер слепых кротов, в темноте и в такой тесноте, что двигаться можно только в затылок друг другу, да не просто, а ползком или на карачках, да еще задыхаясь от жары и от пыли и от серных испарений. Штреки, тянувшиеся к бастиону «Кладбище», петляли вокруг главной нашей галереи и в непосредственной, можно сказать, близости от галереи

Осада

голландской, так что сплошь и рядом бывало, что, снеся земляную стенку взрывом петарды или же просто древками пик, нос к носу сталкивались наши с неприятельскими саперами, и тогда в ход шли пистолет и кинжал, а еще лучше — короткая лопата, кромка которой для такого случая оттачивается как бритва.

— Пора, — сказал Диего Алатристе.

Он со своими людьми находился у входа в галерею, а капитан Брагадо, наблюдая за ними, стоял на коленях в неглубоком окопчике. По соседству располагался еще десяток солдат, готовых в случае надобности прийти на помощь Алатристе. А тот решил взять с собой Мендьету, Копонса, Гарроте, галисийца Риваса и обоих братьев Оливаресов. Мануэль Ривас, голубоглазый и белокурый красавчик, был человеком очень надежным и очень отважным, а по-испански объяснялся скверно и с сильнейшим выговором уроженца Финистерры. Оливаресы походили друг на друга, как две капли воды, хоть близнецами и не были: оба — жгучие, как принято говорить, брюнеты с буйной волоснёй, из коей воинственно торчали изрядные носы с горбинкой, свидетельствовавшей непреложно, что еще прадеды братьев свинину кушать отказывались наотрез — впрочем, вопрос того, насколько чистая у Оливаресов кровь, нимало не занимал их однополчан, справедливо полагавших, что раз уж человек проливает за отчизну кровь, значит, она у него самая что ни на есть голубая и беспримесная. Братья всегда ходили вместе, держались рядом, спали спина к спине, делили пополам последнюю корку хлеба и прикрывали друг друга в бою.

— Ну, кто первый? — спросил Алатристе.

Гарроте чуть отступил назад, с необыкновенным интересом изучая лезвие своего кинжала. Бледно улыбнувшись, Ривас собрался уж было выступить вперед, но Копонс, как всегда скупясь на слова, подобрал с земли несколько соломинок и роздал их товарищам. Самая короткая досталась Мендьете. Он долго глядел на нее, а потом молча подтянул пояс с кинжалом, снял шляпу и шпагу, взял в одну руку маленький пистолет, протянутый ему Алатристе, а в другую — короткую лопатку и полез в тоннель. За ним последовали капитан и Копонс, тоже отстегнувшие шпаги, скинувшие шляпы, тщательно оправившие на себе кожаные нагрудники, а потом и остальные. Брагадо со своими людьми, оставшись снаружи, следил за ними в безмолвии.

Вход в штольню был тускло освещен смоляным факелом, так что можно было различить лоснящиеся от пота тела полуголых немецких саперов, которые прервали свою полезную деятельность и, опершись на кирки и лопаты, смотрели на проходящих мимо испанцев. Немцы копали не хуже, чем сражались, особенно если трезвые и жалованье получили; и женщины их были им под стать — будто вьючные мулы, сновали они взад-вперед, перетаскивая из лагеря припасы, туры, шанцевый инструмент. Рыжебородый капрал — ручищи как окорока из Альпухарры — повел Алатристе и его людей через лабиринт галерей, укрепленных деревянными распорками, жердями и турами и делавшихся по мере приближения к голландским позициям все уже и ниже. И наконец остановился перед лазом никак не больше трех футов. Прилепленный к стене огарок освещал запальный шнур, зловещей черной змеей уходивший во тьму.

— *Eine...* одна вара[1], — сказал сапер и, разведя руки, показал толщину земляной стены, отделявшей подземный ход от штольни голландцев.

Алатристе кивнул, и все семеро один за другим стали протискиваться в лаз, предварительно замотав лица платками. Немец улыбнулся:

— *Zum Teufel*[2]!

И поднес огонек свечи к запальному шнуру.

Кости. Штрек проходил под кладбищем, и потому теперь отовсюду сыпались вперемежку с землей кости — большие и маленькие, тазовые и берцовые, черепа и позвонки. Цельные скелеты, обернутые грязными истлевшими саванами, или облаченные в сглоданное временем платье. Висящая в воздухе пыль, сгнившие доски гробов, обломки памятников, плит и крестов, тошнотворный смрад — вот что заполняло штрек после взрыва, когда Алатристе вместе с другими на четвереньках, распугивая мышей, устремился к бреши. Сквозь небольшую скважину просачивалось немного света, немного воздуху, пропитанного запахом сгоревшего пороха. Испанцы прошли сквозь это световое пятно и снова оказались во тьме, двигаясь туда, откуда доносились стоны и выкрики на чужом языке. Алатристе чувствовал, что все тело под колетом покрывается испариной, а

---

1 Вара — мера длины, равная 835,9 мм.
2 К черту! (*нем.*) В данном случае — пожелание удачи, «ни пуха, ни пера!».

пересохший рот забит землей — платок не спасал. Он продвигался ползком, отталкиваясь локтями, и что-то круглое катилось перед ним. Это был человеческий череп, а сам скелет, вместе с гробом разнесенный взрывом, упал на капитана, оцарапав ему ягодицы острыми обломками костей.

Мыслей не было. Не было и чувств. Он полз, одолевая пядь за пядью, стиснув зубы, зажмурясь, задыхаясь под платком, которым было обвязано лицо. Нывшие от напряжения мышцы ведали только одну цель — вынести его живым из этого странствия по стране мертвых, вывести его снова на свет дня. Сознание Алатристе будто дремало, не отвлекаясь ни на что, кроме этих обдуманных, механических движений, диктуемых долгим солдатским навыком. Его вела вперед уверенность в том, что от судьбы не уйдешь, да еще то, что впереди был Мендьета, а позади — кто-то еще. Такое уж место на земле — или, вернее, под землей — уготовила ему судьба, и никакими мыслями и чувствами этого не изменить. А потому неразумно тратить время и усилия на что-либо еще, кроме главного, — главное же заключается в том, чтобы ползти с пистолетом и кинжалом, повторяя зловещий, веками отработанный ритуал: убивать других, чтобы выжить самому. Вот как славно и просто, и никаких тебе чувств. Король и отчизна — каковы бы ни были они — слишком далеко от этого подземелья, от этой непроглядной черноты, в которой все слышнее делаются стоны и брань голландских саперов, попавших под взрыв. Видно, Мендьета уже добрался до них, потому что до Алатристе донеслись глухие удары, треск рассекаемой плоти,

Осада

хруст костей: судя по этим звукам, бискаец орудовал лопаткой в свое удовольствие.

Но вот обломки гробов, кости, пороховой дым остались позади — штрек, расширяясь, выходил в галерею, вырытую голландцами. И творился там сущий ад. Помаргивал в углу, грозя вот-вот погаснуть, масляный фонарь, и в его красноватом неверном свете видно было, как корчатся на земле и стонут люди. Алатристе привстал на колени, сунул пистолет за пояс и свободной рукой принялся шарить вокруг себя. Лопатка Мендьеты крушила без жалости — раздался жалобный вопль. Кто-то отлетел спиной вперед к самому входу в штрек, повалился на капитана, слышавшего, что товарищи подобрались вплотную. Вспышка выстрела на краткий миг осветила штрек, выхватила из тьмы людей, ползавших по земле, лежавших навзничь, распростертых ничком, сверкнула отблеском на занесенной окровавленной лопатке в руке Мендьеты.

Движение воздуха гнало пыль и дым ко входу в штрек, и Алатристе осторожно двинулся в галерею. Наткнулся нос к носу на кого-то еще живого, и голландская брань на мгновение опередила новую вспышку и грохот выстрела в упор, едва не опалившего капитану лицо. Бросившись вперед, он вслепую полоснул кинжалом сверху вниз и справа налево — оба удара попали в пустоту. Вытянув руку подальше, сделал еще один крестообразный выпад — и на этот раз клинок достиг цели. Вскрик, и следом — шарканье: голландец убегал на четвереньках. Алатристе погнался за ним, нанося беспорядочные удары на слух, тыча кинжалом туда, где раздавались вопли ярости и смертельного ужаса. Настиг, нашарил, придавил ногой — и стал бить сверху вниз, пока враг не затих и не замер.

— Ik geef mij over![1] — зазвенел во тьме чей-то голос.

Сказано было не к месту — какие там пленные в этих подземных стычках? Испанцы и сами в случае невезения пощады не ждали. И мольба тотчас сменилась предсмертным хрипом: кто-то из ворвавшихся в галерею, по голосу найдя еретика, прикончил его. Алатристе, не шевелясь, напряженно вслушивался. Грянули два выстрела подряд — и капитан разглядел, что в обнимку с голландцем совсем рядом барахтается на земле Копонс. Потом один из братьев Оливаресов вполголоса окликнул другого. Копонс и голландец затихли. Любопытно, кто из них жив, а кто — нет:

— Себастьян! — позвал он шепотом.

Копонс утробным ворчанием разрешил его сомнения. Было тихо — лишь кто-то тихо постанывал, кто-то тяжело дышал совсем близко, да слышались тяжелые шаги. Алатристе встал с колен, вытянул перед собой, обшаривая темноту, левую руку, прижал к бедру правую — напряженную, готовую к действию, стиснувшую выставленный вперед кинжал. В меркнущем свете фонаря, разбрасывавшем напоследок искры, чуть виднелся заваленный обломками и мусором вход в галерею, ведущую к неприятельским траншеям. Капитан наткнулся на чье-то неподвижное тело, дважды — на всякий случай — вонзил в не-

1   Сдаюсь (*нидерланд.*).

го клинок, перелез, двинулся дальше, у входа задержался, постоял, прислушался. Было тихо, но он уловил запах и крикнул:

— Сера!

По галерее медленно наползало удушливое облако — и не было сомнений: голландцы подожгли солому, смолу и серу и мехами гонят дым в сторону неприятеля. Сомнений не было и в том, что они решили наплевать на своих соотечественников, оставшихся по эту сторону галереи, а может быть, считали, что все уже перебиты. Ветер тянул сюда и благоприятствовал их замыслу: не успеешь «Отче наш» прочесть, как ядовитый дым отравит воздух. Алатристе, внезапно охваченный необоримой тоской, лавируя между трупами, на четвереньках ринулся к своим, толпившимся у входа в штрек, выбрался наружу и через несколько мгновений, показавшихся ему вечностью, уже снова полз по узкому подземному коридору, изо всех сил отталкиваясь локтями и коленями от рыхлой земли, натыкаясь на обломки надгробий и крестов. За спиной услышал чью-то брань: кажется, то был Гарроте, которого он, споткнувшись, помял немного сапогами. Миновал скважину в потолке штрека, жадно вдохнул свежий воздух и сразу же вновь пополз по узкой галерее — пополз, сдерживая дыхание и сжав зубы, покуда не увидел, как над плечами и головой товарища, спешившего впереди, светлеет отверстие лаза. Вот он наконец юркнул в широкую галерею, откуда уже ушли немцы-саперы, а потом вылез наружу, в родную траншею, сорвал платок и, отдуваясь, тяжело дыша, утер лицо — мокрое от пота, перемазанное землей, пылью, гарью. Выползали один за другим остальные — измученные, грязные, полуослепшие от непривычного света, похожие на восставших из гроба мертвецов. Проморгавшись наконец, Алатристе увидел капитана Брагадо, вместе с саперами поджидавшего их.

— Все тут? — спросил тот.

Недоставало Риваса и одного из Оливаресов. Младший, Пабло, уже не черноволосый, а седой от пыли, шагнул было назад, и Мендьета с Гарроте насилу удержали его. Голландцы, приведенные в бешенство удачной диверсией, открыли со стен частую и беспорядочную пальбу — пули жужжали вокруг или мягко шлепались в корзины с землей.

— Славно засадили нехристям, — произнес Мендьета.

В голосе его слышалось не торжество, а одна лишь безмерная усталость. Он все еще сжимал в руке черенок лопатки — всю в земле и запекшейся крови. Рядом с Алатристе мешком осел на землю Копонс — перемешанная с потом земля превратила его лицо в глиняную маску.

— Сволочи! — в отчаянии заголосил младший Оливарес. — Гореть вам в аду во веки веков, еретики проклятые!

И осекся, увидав, как у входа в штольню показался Ривас, таща на закорках брата — полузадохшегося, но живого. Голубые глаза галисийца были воспалены, от светлых волос несло серой. Он сорвал с лица платок, сплюнул набившуюся в рот землю, вдохнул полной грудью:

— О, черт!.. Слава тебе, Господи!

Кто-то из немцев принес бурдючок с водой, и люди Алатристе стали по очереди пить.

— Я бы и ослиной мочой сейчас не побрезговал, — пробормотал Гарроте, плеснув на бороду и грудь.

Алатристе сидел в траншее, счищая с лезвия *бискайца* землю и кровь. Брагадо, не сводивший с него глаз, наконец спросил:

— Ну, что там в галерее?

— Чисто. Как этот клинок.

И, не прибавив к сказанному ни слова, спрятал кинжал в ножны.

— Слава тебе, Господи! — повторил Ривас и перекрестился. Голубые глаза его слезились.

Алатристе вслух не сказал ничего, а про себя подумал: «Господь тоже иногда пресыщается. Как объестся кровью и муками — отвернется и отдыхает».

VIII

Маскарад

В таких вот и подобных трудах и досугах минул апрель; чередуя погожие дни с дождливыми, вызеленив травку на полях, на могилах и вокруг траншей. Пушки наши продолжали долбить стены Бреды, попрежнему подводились мины и контрмины, а весь крещеный мир азартно палил из траншеи в траншею, и монотонность осады оживлялась время от времени то нашим приступом, то голландской вылазкой. Тут стали поступать сведения о том, что осажденные испытывают большие лишения — вернее, лишения испытывают их на прочность, большие, да все же не бо́льшие, чем осаждающие. Разница в том лишь, что голландцы выросли в краю благодатном и плодородном, что реки их, поля и города щедро были взысканы Фортуною, мы же, испанцы, век за веком орошали наши нивы потом и кровью, чтобы собрать с них хоть горстку зерна. И поскольку неприятель привычней оказался к усладам и роскошествам, нежели к полуголодному существова-

Маскарад

нию, то иные французы и англичане — кто по природе своей, кто по привычке — стали бросать свои части и переходить на нашу сторону, рассказывая, будто за стенами Бреды перемерло уже не менее пяти тысяч человек из числа простолюдинов, бюргеров и солдат. Не раз бывало, что перед городскими воротами дрыгались в петле, встречая утро не для них наступавшего дня, шпионы, пытавшиеся доставить по назначению все более и более отчаянные письма, коими обменивались комендант крепости Юстин Нассау и его родственник Мориц Оранский — сей последний находился в нескольких лигах от Бреды и не оставлял попыток выручить гарнизон города, вот уж год как обложенного наглухо.

В те же дни дошли до нас известия о том, что этот самый Мориц задумал построить дамбу у Севенберга — это в двух часах пути от Бреды — дабы направить на нас воды Мерка, затопить наш лагерь и траншеи и на баркасах и лодках доставить в город подкрепление и продовольствие. Сей замысел сильно заботил нашего генерала Спинолу, который искал и не находил действенное средство воспрепятствовать тому, чтобы в один прекрасный день проснулись мы все в воде по шейку. По этому поводу зубоскалили следующим образом: надо, мол, отрядить на диверсию людей из немецких полков — они-то уж справятся:

...Колбасников созвать и объявить им,
Что если тотчас не взорвать плотину,
То все мы в водах Мерка захлебнемся.
И я вас честью уверяю — мигом

Они покончат с Морицевой дамбой,
Поскольку век простой водой гнушались
И впредь ее не пожелают пить.

И примерно в те же дни капитана Алатристе вызвали в шатер дона Педро. Дело было к вечеру, солнце уже клонилось к западу, заливая розовым кромку плотин, за которыми виднелись силуэты ветряных мельниц и тянулись на северо-восток рощи. Для такого случая Алатристе привел себя по возможности в порядок: прикрыл нагрудником из буйволовой кожи драную сорочку, с особым тщанием вычистил оружие, насалил портупею и прочую ременную сбрую. Он ступил под откинутый полог шатра: в одной руке — потрепанная шляпа, другая придерживает шпагу — и стал навытяжку, не произнося ни слова и ожидая, когда дон Педро де ла Амба, беседовавший со своими офицерами, среди которых был и капитан Брагадо, соблаговолит обратить на него внимание.

— Ага, вот он самый и есть, — сказал полковник.

Алатристе не выказал при столь странном приеме ни тревоги, ни любопытства, хотя его приметливый взгляд не оставил без внимания успокаивающую улыбку Брагадо, посланную ему из-за плеча дона Педро. В палатке было еще четверо офицеров, и всех он знал, по крайней мере, в лицо: дон Эрнан Торральба, командовавший одной из рот; начальник штаба Идьякес и еще двое молодых людей — *гусманов*, как именовали в ту пору юных аристократов или родовитых дворян, жалованья не получавших и служивших ради славы или — что чаще случалось — чтобы завоевать репутацию перед возвращением в Испанию, где благодаря дружеским или семейным связям ожидало их теплое и покойное место. На столе, рядом с книгами и картами, стояло несколько бутылок: присутствующие пили вино — причем из хрустальных бокалов. Со дня взятия Аудкерка Алатристе не держал в руках такой посуды. «Пастухам — ужин, да и не всухомятку, а овечке — вертел», — кстати вспомнилось ему любимое присловье.

— Хотите глоточек?

Петлеплёт, скривив губы, что долженствовало означать любезную улыбку, изящным движением указал на бутылки и бокалы.

— Только что доставили из Малаги. Выдержанный «Педро Хименес».

Алатристе сглотнул, постаравшись, чтобы это осталось незамеченным. В полдень он, как и весь взвод, ел хлеб, сдабривая его маслом, надавленным не то из репы, не то еще из каких корнеплодов, и запивая грязноватой водицей, — обычное окопное угощение. Каждый сверчок знай свой шесток, вздохнул он про себя. Вышестоящие тебя сторонятся, ну и ты к ним не тянись.

— Если позволите, господин полковник, как-нибудь в другой раз.

Он постарался, не теряя почтительности, произнести эти слова так, чтобы ясна была причина отказа. И дон Педро изогнул бровь и через мгновение повернулся к Алатристе спиной, сделав вид, будто углубился в изучение расстеленных на столе карт. *Гусманы*, не скрывая любопытства, разглядывали дерзкого сол-

дата сверху донизу. А улыбка на устах Кармело Брагадо, который вместе с капитаном Торральбой был
здесь фигурой второстепенной, обозначилась яснее,
однако исчезла, как только заговорил Рамиро Идьякес — старый служака с седеющими усами и совсем
уже белой, коротко остриженной головой. Шрам, ак-
куратно деливший кончик его носа пополам, был па-
мятью о том, как на исходе прошлого века, в царствование славного нашего государя Филиппа Второго
взяли приступом и разграбили Кале.

— Прислали вызов. — Привычный к командам голос его и вне строя звучал грубовато и отрывисто. —
Завтра утром. Пять на пять. У ворот Больдуке.

В те времена подобное было в ходу. Не довольст-
вуясь обычными и общими для всех приливами и от-
ливами военного противостояния, удальцы из обоих
станов устраивали этакие вот единоборства, памятуя, однако, что по их личной отваге и задору судить
будут если не обо всей стране, то уж о полку — точно.
Еще блаженной памяти император Карл для умиро-
творения Европы приглашал сразиться один на
один своего врага Франциска Первого, но тот после
долгих экивоков и уверток вызов не принял. Исто-
рия, тем не менее, выписала лягушатнику счет: в битве при Павии довелось ему увидеть войско свое раз-
громленным, цвет своей аристократии — переби-
тым, а у собственного своего августейшего горла —
острие шпаги Хуана де Урбьеты, известного еще под
именем Эрнани.

Наступила тишина. Алатристе невозмутимо
ждал, что еще хорошенького ему скажут. Это взял на
себя один из *гусманов*.

— Вчера нам объявили о поединке двое очень самовлюбленных таких фламандских дворянчиков... Вероятно, наш аркебузир ухлопал кого-то из их друзей, не вовремя высунувшего нос из траншеи. Встреча в чистом поле — час времени, по пять с каждой стороны, оружие — два пистолета и шпага... Разумеется, если мы поднимем перчатку.

— Нет вопроса, — откликнулся второй.

— Вызвались идти итальянцы из Латарского полка, однако есть мнение, что выставить с нашей стороны следует только испанцев.

— Само собой, — добавил второй.

Алатристе медленно обвел их взглядом. Первому было, вероятно, лет тридцать — о знатном происхождении красноречиво свидетельствовали покрой и доброта его платья, да и шпага висела на сафьяновой, шитой золотом портупее. Война войной, однако же время холить и завивать усы у него находилось. Он был высокомерен и неприветлив. Второй — пошире в плечах, пониже ростом, помоложе годами — был одет на итальянский манер: короткий бархатный колет с разрезными рукавами, отделанная брюссельскими кружевами пелерина. Красные перевязи у обоих украшены золочеными кистями, сапоги со шпорами — хорошей кожи, не чета тем, которые так внятно просили каши на ногах у Алатристе. Ясное дело: эти двое пользуются милостями дона Педро, а тот в свою очередь через них упрочивает свое влияние в Брюсселе и в Мадриде; как ласковы, учтивы и обходительны они друг с другом: еще бы — эти псы из одной своры. Первого звали, кажется, дон Карлос дель Арко, родом из Бургоса, сын маркиза или кого-то в этом роде. Говорят, не трус. Он и нарушил молчание:

— Дон Луис де Бобадилья. И я. Это — двое. Нужны еще трое бойцов не робкого десятка.

— Один, — вмешался Идьякес. — Я решил отрядить с вами Педро Мартина из роты Гомеса Коломы. Четвертым будет Эгилус из роты капитана Торральбы.

— Отличная компания собирается. Накормим голландцев до отвала! — вновь подал голос первый *гусман*.

Алатристе снес эту похвальбу не поморщившись. Он знал и Мартина, и Эгилуса — оба старые солдаты, не подведут, когда придется схлестнуться с голландцами или кого там выставит противник. Не подведут, не подкачают, лицом в грязь не ударят.

— Пойдете пятым, — бросил ему дон Карлос.

Алатристе, оставаясь неподвижным — левая рука сжимает навершие эфеса, правая держит шляпу, — сдвинул брови. Ему не понравился тон, которым этот дворянчик говорил о его участии в дуэли как о деле решенном, тем паче что это был не офицер, а так, не пришей кобыле хвост, одно слово — *гусман*. В равной степени не нравились ему и золоченые кисточки на красной перевязи, и самодовольная нагловатость, столь присущая тем, у кого в кармане не переводятся золотые кружочки с Филипповым профилем, а в Бургосе остался папаша-маркиз. Еще не нравилось, что непосредственный его начальник капитан Брагадо как воды в рот набрал. Ротный, обладая всеми качествами доблестного воина, непостижимым образом умел сочетать их с тонкой дипломатичностью, благодаря чему и поднялся по служебной лестнице. Но Диего Алатристе-и-Тенорио не желал получать приказы от высокомерных вертопрахов, даже если те на словах — а хоть бы и на деле! — настоящие сорвиголовы, даже если они пьют вино из хрустальных бокалов в полковничьем шатре. Всего этого хватило, чтобы помедлить с утвердительным ответом, и промедление это было замечено доном Карлосом и истолковано превратно:

— Но, конечно, если кишка тонка, — сказал он с оттенком пренебрежения, — тогда...

И с намерением оборвал речь, победно оглядывая присутствующих. На лице у его товарища ?аиграла улыбка. Не обращая внимания на предостерегающие взгляды капитана Брагадо, Алатристе выпустил эфес и принялся поглаживать усы: это был способ — и не хуже любого другого — унять и сдержать заклокотавшую ярость, горячей волной плеснувшую из живота в грудь и заставившую кровь в висках застучать медленно и ритмично. Ледяной взгляд он упер в лицо дона Карлоса, а потом — в лицо дона Луиса. Молчание затянулось настолько, что дон Педро, все это время стоявший спиной, как если бы его ничего не касалось, обернулся к Алатристе. Но тот смотрел на Кармело Брагадо.

— Если я правильно понял, это ваш приказ, господин капитан?

Брагадо, ничего не отвечая, стал чесать в затылке и перевел глаза на Идьякеса, который был готов испепелить обоих *гусманов* яростным взглядом. В этот миг заговорил — причем с нескрываемой досадой — сам полковник:

— В делах чести приказов не отдают. В делах чести каждый поступает так, как велит ему совесть и забота о добром имени.

При этих словах Алатристе побледнел и, отдернув руку от усов, медленно положил ее на рукоять шпаги. Взгляд Брагадо принял выражение умоляющее: вытянуть клинок из ножен хотя бы на дюйм значило в самом буквальном смысле сунуть голову в петлю. Алатристе, однако, дюйма казалось мало — с полнейшим хладнокровием он прикидывал, хватит ли ему времени, проткнув выпадом дона Педро, обернуться к *гусманам*. И выходило, что прежде чем Идьякес и Брагадо прикончат его самого, как собаку, он успевает разделаться с доном Луисом или с доном Карлосом, желательно бы, конечно, — со вторым.

Идьякес, явно огорченный, прочистил горло кашлем. По чину и положению только он мог противоречить Петлеплёту. Его знакомство с Алатристе началось двадцать с чем-то лет назад, в Амьене, когда они — мальчик и юноша с едва пробивающимися усами — в составе роты капитана Диего де Вильялобоса ворвались на бастион Монтрекур и дрались там четыре часа, захватив неприятельские пушки и перебив до последнего человека восьмисотенный французский гарнизон. Ну и своих положили там человек семьдесят. Черт возьми, недурной расклад — взять за свою жизнь одиннадцать вражеских, да еще тридцать, если арифметика не врет, получить в придачу бесплатно.

— При всем моем уважении... — начал он. — Я обязан сказать, что Диего Алатристе — старый сол-

Маскарад

дат... Все знают, что репутация у него незапятнанная... И я уверен, что...

Дон Педро прервал его резким взмахом руки:

— Репутация — это не бессрочная аренда!

— Диего Алатристе — отважный солдат... — устыдясь долгого молчания, подал наконец голос капитан Брагадо.

Полковник и ему не дал договорить:

— Отважный солдат, а в *моем* полку таких — хоть отбавляй, дал бы отрубить себе руку, чтобы завтра быть у ворот Больдуке.

Алатристе взглянул ему прямо в глаза и ответил медленно и тихо — тоном, который был холоден и сух, как подрагивавший под пальцами клинок:

— Мне нужны обе руки, чтобы исполнять свой долг перед королем, который мне за это платит... время от времени. — Он помолчал, и молчание это показалось бесконечным. — Что же касается чести моей, совести, доброго имени, то пусть они вас больше не тревожат. Потому что я сам о них позабочусь, и для этого мне подобные поединки, равно как и нравоучения, — без надобности.

Дон Педро смотрел на Алатристе так, словно хотел запомнить его на всю жизнь. Было ясно, что он мысленно перебирает в голове все, что сейчас прозвучало, ища слово, оттенок смысла, интонацию, любую зацепку, которая позволила бы ему отдать распоряжение о казни. Замысел был до того очевиден, что Алатристе осторожно, скрывая это движение шляпой, повел левую руку за спину, поближе к рукояти кинжала. «Чуть что, — думал он с невозмутимой покорностью судьбе, — клинок ему в глотку, потом — за шпагу, а уж там — как Бог захочет. Или дьявол».

— Пусть отправляется в свой окоп, — вымолвил наконец Петлеплёт.

Можно было не сомневаться, что еще свежее воспоминание о недавнем мятеже смиряло его природное пристрастие к хорошо намыленной пеньке. Идьякес и Брагадо, от которых не укрылись эволюции Алатристе, вздохнули с явным и немалым облегчением. Сам же он, стараясь не показать, что и ему это чувство отнюдь не чуждо, почтительно склонил голову, сделал полуоборот налево и вышел из шатра на свежий воздух. Караул несли немцы-алебардщики, которые, сложись все иначе, могли бы вести его сейчас к ближайшему дереву. Он остановился и на мгновение застыл, с особенной отрадой взирая на солнце, уже почти коснувшееся линии горизонта, ибо знал, что наутро увидит и восход. Потом надел шляпу и двинулся к траншеям, наползавшим на бастион «Кладбище».

В ту ночь капитан Алатристе, покуда вокруг похрапывали товарищи, бодрствовал до зари, завернувшись в плащ и глядя на звезды. Нет, не гнев полковника, не угроза бесчестья лишали его сна — ни малейшего дела не было ему до того, что по Картахенскому полку пойдет гулять сплетня: Идьякес и Брагадо хорошо знают его и расскажут, как все было на самом деле. И потом, он ведь не зря сказал дону Педро, что сумеет внушить и равным, и совсем даже не равным уважение к себе. Другое вызывало бессонницу — Алатрис-

Маскарад

те мечтал, чтобы, по крайней мере, один из *гусманов* невредимым вышел из схватки у ворот Больдуке. Хорошо бы уцелеть дону Карлосу. Потому что, сказал себе капитан, не сводя глаз с темного купола небес, время идет, жизнь богата на разного рода курбеты-камуфлеты, нипочем не угадаешь, кто из давних твоих знакомцев вдруг преградит тебе путь в каком-нибудь переулке, будто нарочно созданном для такой встречи, — тихом, темном и безлюдном, где никто из окрестных жителей не поднимет переполох, услышав звон шпаг.

Наутро, провожаемые взглядами из траншей и с крепостной стены, сошлись у Больдукских ворот пятеро наших с пятью ненашими. Неведомо как, но всему лагерю стало известно, что противник отрядил троих голландцев, одного шотландца и одного француза. Что же касается наших, то пятым капитан Брагадо отправил подпрапорщика Минайю — уроженца Сории тридцати с небольшим лет, человека испытанного и надежного, тяжелого на руку, зато легкого на ногу. Вооружены все десятеро были одинаково — пистолет за поясом, шпага на боку, и передавали за верное, что непременным условием поединка «истцы» поставили отсутствие кинжалов, ибо не понаслышке знали, какую опасность являют они собой в ближнем бою и в умелых испанских руках.

А я, лишь накануне вернувшийся в расположение после трехдневной фуражировки — вместе с другими *мочилеро* добрался вплоть до верховий Мааса, — стоял сейчас рядом с другом моим Хайме

Корреасом, забравшись на корзины с землей, которые прикрывали бруствер траншеи. Это был тот редкий случай, когда можно было не опасаться мушкетной пули меж глаз, и сотни солдат высыпали наружу для дарового развлечения. Говорили, будто сам маркиз Бальбасский, наш генерал Спинола, равно как и дон Педро де ла Амба и прочие командиры и начальники, наблюдает за поединком. Что же касается Диего Алатристе, то он находился в одной из траншей вместе с Копонсом, Гарроте и прочими, не говоря ни слова, не шевелясь и неотрывно глядя на происходящее. Рано утром подпрапорщик Минайя, которого капитан Брагадо, без сомнения, ввел в курс дела, показал себя настоящим товарищем: явился к Алатристе с просьбой одолжить пистолет — его собственный якобы оказался неисправен. Подобная просьба многое говорила в пользу Минайи, свидетельствуя одновременно, что претензий к моему хозяину в роте нет. Прибавлю, раз уж зашла об этом речь, что спустя много лет, когда дрались при Рокруа, мне — после бесчисленных финтов и фортелей Фортуны сделавшемуся офицером королевской гвардии — представился случай оказать покровительство одному юному новобранцу по фамилии Минайя. Что я и сделал не задумываясь — в память того дня, когда его отец вышел на пятерной поединок под стенами Бреды, имея за поясом пистолет капитана Алатристе.

Нежаркое апрельское солнце поднялось уже высоко, и тысячи глаз были устремлены на этих десятерых. Они стояли на ничейной земле — на пустыре, плавно спускающемся к воротам Больдуке.

Маскарад

Обойдясь без предварительных любезностей и даже без приветствий, сражающиеся сблизились на пистолетный выстрел, каковой тотчас и произвели, а потом взялись за шпаги, и оба лагеря, до той минуты хранившие молчание, неистовыми криками принялись подбадривать своих. Знаю, что люди доброй воли предписывают мир и слово, насилие же — осуждают; знаю — причем получше многих, — во что превращает война тело и душу человеческие. И, несмотря на все это, вопреки врожденной и благоприобретенной с годами рассудительности, наперекор здравому смыслу, я не могу сдержать трепет восхищения при виде отваги тех, кто отвагу сию являет. И будь я проклят, если эти десять бойцов были ее лишены. Первый же выстрел свалил дона Луиса, а остальные с обнаженными клинками приступили друг к другу, исполненные боевого задора. Одному из голландцев пуля пробила шею, а его товарищу-шотландцу Педро Мартин распорол живот шпагой, однако извлечь ее назад не сумел и, оказавшись безоружным, с двумя разряженными пистолетами, получил удар в шею, а другой — в грудь, и свалился замертво прямо на того, кто пал от его руки мгновение назад. Что же касается дона Карлоса дель Арко, то он так сноровисто отбивался от француза, с которым выпало ему драться, что в скором времени сумел разнообразить свои выпады выстрелом в голову и остался победителем, хоть и ушел с поля боя хромая — шпага задела ему ляжку. Минайя своего француза застрелил из пистолета, одолженного ему Алатристе, а второго противника — из своего собственного, сам при этом не получив и царапины. Эгилус, которому пуля угодила в правую руку, держал шпагу левой и сумел поразить противника в плечо и под ложечку, так что тот, обнаружив, что остался один и к тому же ранен, решил, подобно Антигону[1], не бегом, но медленным шагом покинуть ристалище. Те трое, что держались на ногах, отдали победителям шпаги и оранжевые перевязи, принятые в армии Генеральных Штатов, и, быть может, отнесли бы к нашим позициям тела дона Луиса де Бобадильи и Педро Мартина, если бы взбешенные голландцы не поспешили заесть горечь поражения шквальным огнем. Наши отступали в полном порядке, но кусок свинца угодил Эгилусу в почку, и он, хоть и сумел с помощью товарищей добраться до траншеи, через три дня после этого отдал богу душу. Семь трупов же оставались в поле почти целый день, пока наконец не объявили краткое перемирие, чтобы можно было забрать их и предать земле.

В Картахенском полку никто не поставил под сомнение честь капитана Алатристе. Доказательством чему служит то, что спустя неделю, когда принято было решение отбить у неприятеля Севенбергскую дамбу, его включили в число сорока четырех человек, отобранных для этого. Они вышли из наших траншей на заходе солнца, чтобы двинуться под прикрытием темноты и тумана. Командовавшие от-

---

1   Антигон — имя нескольких македонских царей и полководцев IV—III вв. до н.э. Отступление с поля боя как тактический прием особенно любил Антигон Одноглазый (ок. 380–301), о чем повествует Плутарх в жизнеописании другого македонского военачальника, Эвмена.

Маскарад

рядом капитаны Брагадо и Торральба приказали надеть белые рубахи поверх колетов — так можно будет отличить своих. Подобные уловки были у испанцев в большом ходу, и такого рода ночные поиски даже получили название «маскарад». Стало быть, используя природную воинственность и боевую сноровку нашей нации, не имеющей себе равных в рукопашной схватке, следовало незаметно проникнуть в лагерь еретиков и внезапно ударить на них, перебить как можно больше народу, поджечь палатки и бараки — однако не сразу, а лишь перед самым отступлением, чтобы свет пожара не выдал, ну а потом — отступать во весь дух. Как водится в отборных войсках, мы, испанцы, считали участие в рейде честью для себя, горячо оспаривали друг у друга это почетное право и горько обижались, если не попадали в список. Правила были строгие, и все понимали, что от неукоснительного их исполнения в сумятице ночного боя зависит жизнь. Из всех таких поисков самый знаменитый прошел под Монсом, когда перебили пятьсот немцев-наемников и дотла сожгли их лагерь. Или вот еще был случай — для дела требовалось только пятьдесят бойцов, но перед самой отправкой набежала откуда ни возьмись чертова уйма добровольцев, непременно желавших участвовать в операции, так что когда вышли, вместо подобающей случаю тишины начались ор, гвалт и гомон — и это в самую ночь-полночь, — и получилась прямо какая-то мавританская свадьба: триста человек неслись по дороге наперегонки, ибо каждый хотел быть первым, и разбуженный противник обомлел, увидав, как надвигается на него с оглушительными воплями толпа бесноватых, обряженных в белое — они пощады не знали и выхвалялись друг перед другом, кто зарежет больше да лучше.

Что же касается Севенберга, то наш генерал Спинола придумал вот что: два долгих часа до плотины следовало идти с величайшими предосторожностями, то есть скрытно, а приблизившись вплотную — ударить, перебить охрану, разнести шлюзы в куски и все поджечь. Решено было также отправить с отрядом и пяток *мочилеро*, коим предназначено было тащить на своем горбу все необходимое для исполнения сего замысла, то есть порох, запальные шнуры и прочее. Так вот я и оказался в ту ночь на правом берегу Мерка в непроглядном тумане. Во тьме слышались только приглушенные шаги — мы обули сандалии-*альпаргаты* или обмотали подошвы сапог тряпьем, — ибо под страхом немедленной смерти запрещено было говорить в полный голос, запаливать фитили, заряжать пистолет или аркебузу, и белые рубахи подобны были саванам, в коих являются обычно привидения. Мне давно уже пришлось продать мой славный золингеновский клинок, поскольку *мочилеро* носить оружие не полагалось, и остался при мне лишь славный мой кинжал, надежно прикрепленный к поясу. Однако не думайте, будто шел я налегке — черт возьми, как бы не так: за плечами тащил я суму с зарядами пороха и серы, петардами, смолой, чтоб веселей горело, и два остро отточенных топора, чтобы ломать шлюзовой механизм.

Я дрожал от холода, несмотря на толстый суконный колет, надетый под рубаху, которую лишь в

Маскарад

ночной тьме можно было счесть белой — а дыр на ней было больше, чем у флейты. В тумане все становилось каким-то призрачным, волосы и лицо влажнели, будто от мелкого дождичка, какие часто бывали в родном моем краю, и ноги скользили по мокрой траве, так что шел я очень осторожно, чтобы не оступиться — не хотелось бы загреметь прямо в холодные воды Мерка с шестьюдесятью фунтами груза за спиной. И в этой туманной пелене видел я, ей-богу, не больше того, что видит со своей сковородки жареная камбала: два-три белесых расплывающихся пятна впереди и столько же — позади. Ближе всех был обращенный ко мне тылом Алатристе, и я старался от него не отставать. Наш взвод подвигался в авангарде, имея в голове капитана Брагадо и проводников-валлонов из числа тех немногих, кто еще оставался в полку ван Ойста: помимо того, что они хорошо знали местность, им надлежало еще и ввести в заблуждение голландских часовых и снять их так, чтобы не успели поднять тревогу. Во исполнение этой задачи выбрали они тропинку, петлявшую меж болот и торфяников, и притом такую узкую, что идти по ней можно было только в затылок друг другу.

...Белесое пятно маячило впереди — капитан Алатристе был, по обыкновению, молчалив. Мне вспомнилось, как на закате солнца он собирался в путь: под рубаху надел нагрудник из буйволовой кожи, перекинул через плечо перевязь со шпагой, кинжалом и пистолетом, который вернул ему, когда надобность минула, подпрапорщик Минайя, — полочку он обильно смазал салом для защиты от влаги и сырости. Приладил пояс с пороховницей и подсумком на десять пуль, где лежали также кремни, трут, огниво. Прежде чем спрятать порох, убедился, что он нужного цвета — не слишком черный, но и не очень бурый, — что зернышки его мелкие и твердые, и, бросив щепотку на кончик языка, проверил качество селитры. Затем попросил у Копонса точильный брусок и долго доводил до кондиции обоюдоострое лезвие *бискайца*. Капитан шел в передовой группе, которая не взяла с собой ни мушкетов, ни аркебуз, поскольку должна была завязать рукопашную схватку, а для этой задачи надо идти налегке и иметь свободу рук. Наш ротный каптенармус сказал, что требуются *мочилеро* помоложе и побойчее, и мы с Хайме Корреасом вызвались идти добровольцами, вспомнив, что кое-какой навык у нас имелся — вот хоть захват Аудкерка. Капитан, увидав, что я уже напялил рубаху поверх всего прочего, вооружился своим трехгранным «кинжалом милосердия» и готов к выходу, по своему обыкновению не похвалил меня и не выругал, а лишь кивнул и указал на один из заплечных мешков. И в расплывающемся свете факелов все мы после этого преклонили колени, и по рядам слитным гулом прошелестел «Отче наш»; потом перекрестились и двинулись на северо-восток.

Вереница солдат внезапно остановилась: от одного к другого стал передаваться пароль, только что придуманный капитаном Брагадо, — «Антверпен». Все было растолковано задолго до выхода, каждый знал, что кому делать, и потому, не дожидаясь приказов,

Маскарад

налево и направо от меня двинулись цепочки белых пятен. Слышался тихий плеск — солдаты по пояс в воде огибали плотину с обеих сторон. Шедший за мною солдат тронул меня за плечо — давай, мол, свою кладь. Лицо было неразличимо в темноте, я слышал лишь учащенное дыхание да скрип затягиваемых ремней. Когда я глянул вперед, белесый силуэт Алатристе уже растаял в пелене тьмы и тумана. Мимо, неслышно, как тени, прошли замыкающие — я уловил приглушенный звон и лязг: это они доставали из ножен клинки и наконец-то заряжали аркебузы и пистолеты. Еще несколько шагов — и вот они обогнали меня, оставили позади, а я растянулся ничком на мокрой траве откоса, от солдатских сапог покрывшейся скользкой глиной и грязью. Сзади кто-то подполз и прилег рядом. Хайме Корреас. Припав к земле, еле слышно переговариваясь, мы с тревогой всматривались во тьму, поглотившую сорок четыре испанца, которые задались целью устроить еретикам веселую ночку.

Сколько времени прошло, не знаю, но думаю, что успел бы дважды помолиться по четкам деве Марии. Мы с Хайме вконец продрогли и прижимались друг к другу, чтобы хоть немного согреться. Слышно было только, как поплескивает вода о каменную стену плотины.

— Чего-то больно долго, — прошептал Хайме.

Я промолчал, представляя себе, как капитан Алатристе по шею в воде, держа пистолет в высоко поднятой руке, чтоб не замочить порох, подкрадывается к голландским часовым, охранявшим шлюзы.

Потом подумал о Каридад Непрухе, а с нее мысли мои перескочили на Анхелику де Алькесар. А хорошо все-таки, сказал я про себя, что женщины не всегда знают, какой ужас таится порой в сердце мужчин.

И вот посреди тьмы, тишины, тумана треснул где-то в отдалении выстрел из аркебузы. Я прикинул — шагах в трехстах впереди. Еще мгновение — и началась бешеная пальба, перемежаемая взрывами. Мы с Хайме были взбудоражены и возбуждены, но тщетно пялились в туман — ничего не видно. Выстрелы гремели теперь со всех сторон, делаясь все чаще, сотрясая небо и землю, и казалось, будто началась невиданная гроза, и за темной завесой туч перекатывается гром. Потом рвануло сухо и резко — раз и другой. Завеса раздернулась, и теперь мы видели, как слабое молочно-белое свечение тотчас налилось розовым, повторилось тысячекратно в крошечных капельках влаги, пропитавшей воздух, отразилось в темной воде, у кромки которой лежали мы с Хайме. Плотина Севенберга была объята пламенем.

Затрудняюсь сказать, сколько продолжалось это, зато знаю, что подобного грохота не услыхать и в преисподней — знаю точно, хоть и не бывал там. Мы с Хайме приподнялись с земли, и тут послышался топот многих бегущих ног, а потом в туманной пелене начала вырисовываться вереница белых рубах — наши вброд перебирались на ближний берег. Взрывы и пальба не смолкали — белые тени стремительно двигались вперед, чавкали сапогами по грязи, сопя и отдуваясь, вот кто-то выругался от души, кто-то пошатнулся, задетый пулей, и его подхватили товарищи. Гулкие мушкетные выстрелы звучали все ближе, пули ложились гуще, белые рубахи, бежавшие толпой, рассыпались поодиночке.

— Бежим! — крикнул мне Хайме.

Не совладав с паникой, я вскочил на ноги. Оставаться здесь одному не хотелось. Мимо еще пробегали отставшие, и в каждом белесом пятне я силился разглядеть капитана Алатристе. Вот на плотине возникла и помедлила, будто в нерешительности, какая-то тень, постояла и неуклюже пустилась бегом, и тяжелое дыхание при каждом шаге чередовалось со сдавленным стоном. Немного не дойдя до меня, человек упал, покатился по откосу, и я услышал громкий всплеск — он свалился в реку. Не успев осознать, что делаю, я прыгнул вперед, по колено зайдя в воду, стал шарить, отыскивая невидимое в тумане неподвижное тело. Нащупал кирасу под рубахой, обросшее бородой лицо, холодное, как сама смерть. Нет, это был не капитан.

Пальба грохотала теперь совсем близко и мало того — со всех сторон. Я взобрался на плотину и в этот миг понял, что не знаю, в какую сторону податься. Я не видел теперь отдаленного зарева, никто не бежал мимо меня, я не мог сообразить, с какого берега скатился вниз бородатый испанец, а главное — не понимал, куда бежать. Голова, оглушенная беззвучным воем ужаса, отказывалась соображать. «Думай! — приказал я себе. — Приди в себя, Иньиго Бальбоа, и думай, не то рассвета не увидишь!» Встал на колени, стараясь, чтобы неистовый стук крови в висках не заглушал голос разума. Солдат упал в тихую воду, вспомнилось мне. Мерк еле слышно шумел под откосом справа от меня. Севенберг — ниже по течению. А мы пришли по правому берегу и по бревнам, сыгравшим роль понтона, перебрались на плотину у левого берега. Стало быть, я иду не в ту сторону. И, развернувшись, я, прорезая темную пелену, бросился бежать так, словно за спиной у меня были не голландцы, а сам сатана.

Да уж, нечасто приходилось мне так бегать — попробуйте-ка, господа, сами: в кромешной тьме, в насквозь промокшей, отяжелевшей от влаги одежде. Рискуя сверзиться прямехонько в Мерк, несся я, ничего не видя перед собой, ловя разинутым ртом холодный воздух, который будто раскаленными докрасна иглами впивался мне в легкие при каждом вдохе. И вдруг ощутил под ногой бревенчатый понтон. Вцепился в него и, скользя по мокрому дереву, на четвереньках перебрался на другой берег. Но едва лишь ступил на твердую землю, как тьма осветилась яркой вспышкой, и у самого моего уха просвистела аркебузная пуля.

— Антверпен! — завопил я, бросаясь ничком.

— ...твою мать! — долетело до меня в виде отзыва.

Из тумана, сторожко пригибаясь, вынырнули два белесых силуэта.

— Считай, дружище, что заново родился, — произнес другой голос.

Я поднялся, подошел ближе. Лиц не различал — только белые пятна рубах и очертания ружейных стволов, готовых отправить меня прямиком на тот свет.

Маскарад

— Что ж вы, сеньоры, разве не заметили мою рубаху? — спросил я, еще не вполне отойдя от бега и пережитого испуга.

— Какую еще рубаху?

Я растерянно провел рукой по груди и не выругался потому только, что в ту пору считал это для себя зазорным. Я столько времени пролежал на брюхе, покуда наши брали плотину, что рубаха была вся в грязи.

Дон Педро и мы

Вскорости, к великой скорби Генеральных Штатов и неописуемому ликованию приверженцев истинной веры, помер Мориц Оранский, успев, правда, на прощанье отбить у нас город Гох и сжечь наши магазины в Гиннекене. Попытался он с налету взять Антверпен, да вышла у него осечка. И отправился этот закоснелый в лютеровой ереси грешник в геенну, не исполнив желания, коим был одержим последнее время: снять осаду с Бреды не удалось. И, соболезнуя голландцам в невосполнимой их утрате, наши пушки день-деньской долбили стены крепости шестидесятифунтовыми ядрами, а на заре подняли мы на воздух больверк с тридцатью солдатами, на нем находившимися, разбудив их таким вот неучтивым манером и показав, что не всем, кто рано встает, Бог подает.

К тому времени крепость Бреда интереса для нашей державы в военном отношении не представляла — тут, что называется, было дело принципа и репутации. Весь мир затаил дыхание, гадая, слава или позор суждены войскам испанского короля. Даже султан турецкий — ни дна ему ни покрышки! — места себе не находил, ожидаючи, с честью ли выпутается его католическое величество из этой передряги или уберется ни с чем; что уж говорить о европейских государях и прежде всего — о королях Франции и Англии, которые всегда были не прочь извлечь выгоду из неприятностей Испании и безмерно огорчались нашим удачам; в точности так же обстояло дело с венецианцами и даже с Папой Римским. Подумать только — нам, испанцам, делавшим в Европе самую грязную работу, разорившим свою страну во славу Божью и Пречистой Девы, его святейшество, даром что наместник Господа Бога на земле и всякое такое, старался нагадить где только можно и нельзя, потому что не хотел нашего усиления в Италии. Ибо ни одной империи на свете еще не удавалось двести лет кряду внушать всем страх и трепет, не обзаведясь при этом врагами в тиарах или без, пакостящими ей под прикрытием сладких слов, улыбок и прочей дипломатии, беспощадно и безжалостно. Впрочем, желчь нашего понтифика еще отчасти понятна: ровно столетие назад испанцы и ландскнехты нашего императора Карла V, которым жалованья не платили с тех времен, как Сид-Кампеадор[1] ходил еще в капралах, взяли приступом и разграбили Рим, не пощадив ни кардинальских дворцов, ни женщин, ни монастырей, так что Кле-

---

1   Родриго Диас Сид (1043–1099), прозванный «Кампеадор» (Воитель) — полулегендарный освободитель Испании от мавров; воплощение рыцарской доблести.

менту VII, предшественнику нынешнего святейшества, пришлось подоткнуть полы сутаны и дать деру в замок Сант-Анджело. Так что полезно уразуметь, что и у римских пап бывают хорошая память и уязвленное самолюбие.

— Тебе письмо, Иньиго.

Я удивленно поднял глаза. Перед шалашиком, который мы смастерили из одеял, веток и земли, стоял капитан Алатристе: на голове — шляпа, на плечах — изношенный плащ, приподнятый сзади ножнами шпаги. Густые усы, орлиный нос, впалые щеки. Обветренное загорелое лицо казалось сегодня особенно изможденным и бледным и словно бы еще больше осунулось. Железное здоровье капитана пошатнулось несколько дней назад — вода была тухлая. Да, впрочем, и хлеб — заплесневелый, и мясо, когда бывало, — червивое. Так что все это вместе вызвало жар и жестокую перемежающуюся лихорадку. Но капитан не признавал ни пиявок, ни очистительных, уверяя, что не лечат они, а калечат. Сейчас он вернулся от одного маркитанта, в случае надобности становившегося и цирюльником, и аптекарем, который изготовил для него некий целебный отвар из трав.

— Мне?

— Похоже на то.

Оставив Хайме Корреаса и прочих, я выбрался наружу и стал отряхивать землю со штанов. Здесь можно было не бояться шальной пули со стены: дело происходило неподалеку от частокола, за которым размещались наши телеги и вьючная скотина — словом, обоз — и стояло несколько дощатых хибарок, исполнявших роль таверны — это если появлялось вино — и борделя, укомплектованного немками, итальянками, фламандками и нашими соотечественницами. Мы, пажи-*мочилеро*, проявляя чудеса пронырливости и изобретательности, тоже исхитрялись захаживать туда, дабы несколько скрасить себе жизнь, насколько позволяло наше малолетство и положение в полку — невысокое, прямо скажем, положение. Однако не было еще случая, чтобы не приносили мы из наших фуражировок два-три яйца, десяток яблок, сальных свечей или иного добра, годного для продажи или обмена. Сей промысел позволял мне поддерживать капитана и его товарищей, а при благоприятном стечении обстоятельств — обделывать и собственные свои дела, навещая в обществе верного Хайме Корреаса заведеньице Мендосы: с тех пор, как на берегу канала мой хозяин имел беседу с валенсианцем Кандау, никто больше не смел становиться у меня на пути. Диего Алатристе был осведомлен о моих походах и относился к ним неодобрительно, замечая с укоризной, что от женщин, следующих за войском, держаться следует подальше, если не хочешь получить любострастную болячку или удар ножом. Мне было неведомо, как у него-то самого раньше складывались отношения с сими верными спутницами солдат, но сейчас, находясь при нем неотлучно, ни разу не видел я, чтобы заходил он в палатку или фургон, украшенный изображением лебедя. Знаю, впрочем, что с разрешения Кармело Брагадо побывал он раза два в Аудкерке, осененном теперь флагом с андреевским крестом, где навещал ту фламандку, о которой, помнится, я уже упоминал прежде. Ходили слухи, будто в последний раз вышло у Алатристе какое-то недоразумение с ее мужем, которого для охлаждения пыла пришлось сбросить пинком под зад в канал, а потом со шпагой в руке еще объяснять двоим бургундцам, что лезть не в свое дело — вредно для здоровья. После того случая капитан туда больше не наведывался.

Что же касается природы моих чувств к Диего Алатристе, то были они противоречивы, о чем я в ту пору лишь смутно догадывался. С одной стороны, я подчинялся ему беспрекословно и предан был, извините за пафос, беззаветно, о чем вы отлично осведомлены. С другой же, как всякое существо в буйном цвету юности, стремился высвободиться из-под его, громко говоря, эгиды. Страна Фландрия произвела во мне важные перемены: я жил среди солдат и притом получил возможность сражаться за свою жизнь, за свою честь и за своего государя. Кроме того, в последнее время появилось у меня много вопросов, на которые я не находил ответов — не считать же таковыми молчание капитана. Я всерьез подумывал о том, чтобы сделаться солдатом, хотя года мне еще не вышли — на службу раньше семнадцати-восемнадцати лет не брали, — а врать не хотелось, но при благоприятном стечении обстоятельств это препятствие удалось бы преодолеть. В конце концов, капитан Алатристе и сам вступил в службу, имея от роду всего лишь пятнадцать лет. Наши тогда осаждали крепость Гульст, и, чтобы ввести противника в заблуждение, собрали всех пажей, *мочилеро*, весто-

Дон Педро и мы

вых, дали им пики, знамена, барабаны и велели потоптаться по дамбе — пусть, мол, неприятель сочтет эту толпу нестроевых вовремя подоспевшим подкреплением. Потом начался весьма кровопролитный штурм форта «Звезда», и пажи, получив в руки оружие, воодушевясь при виде битвы, отважно полезли в самый огонь на помощь своим хозяевам. Вместе со всеми пер в гущу схватки и Диего Алатристе — в ту пору барабанщик в роте капитана Переса де Эспилы. И так славно воевали они в тот день, что принц-кардинал Альберт, губернатор Фландрии, лично командовавший штурмом, оказал отличившимся милость и приказал записать их в солдаты.

— Утром пришло из Испании.

Я взял протянутое мне письмо. На конверте из хорошей бумаги и с нетронутой сургучной печатью значилось мое имя:

Сеньору дону Диего Алатристе для передачи Иньиго Бальбоа.
Рота капитана дона Кармело Брагадо, Картахенский полк, действующая армия, Фландрия.

Дрожащими руками перевернув конверт, я увидел на нем инициалы «А. де А.» Не говоря ни слова, я под внимательным взглядом Алатристе медленно отошел в сторону — туда, где на бережку немки устраивали постирушку. Немецкие солдаты, как, впрочем, и кое-кто из испанцев, любили брать в жены отставных потаскух, которые скрашивали им тяготы походной жизни да еще и доход приносили, стирая солдатам белье, торгуя водкой, хворостом, табаком и трубками, а порой — помните, я рассказывал? — копали траншеи, помогая мужьям. Ну это я к тому, что рядом с портомойней стояло дерево, а под деревом — большой камень, и вот на него-то я и сел, не веря глазам своим и не сводя их с буквочек «А. де А.» на конверте. Я знал, что капитан все еще смотрит на меня, и выждал, пока сердце не перестанет так гулко ухать в груди, а потом, стараясь, чтобы движения мои не выдавали снедавшее меня нетерпение, сломал сургуч и развернул письмо.

Сеньор дон Иньиго,

Я была счастлива узнать о том, что Вы служите во Фландрии, и, поверьте, позавидовала Вам.

Надеюсь, Вы не держите на меня зла за те неприятности, которые навлекла на Вас наша последняя встреча. Ибо не Вы ли сказали когда-то, что готовы умереть за меня? Примите же недавние свои испытания как прихоть судьбы, которая прихотливо чередует горести и радости — такие, как служба нашему государю или, например, получение этого письма.

Признаюсь Вам, что всякий раз, проходя мимо ручья Асеро, я уношусь мыслями к нашей тогдашней встрече. Как я поняла, Вы не сберегли мой амулет. Непростительная оплошность со стороны такого безупречного кавалера, как Вы.

Надеюсь увидеть Вас когда-нибудь во дворце при шпаге и шпорах и в чаянии этого дня посылаю Вам свой привет и улыбку.

Анхелика де Алькесар

P.S. Рада, что Вы еще живы. У меня на Вас виды.

Дон Педро и мы

Трижды перечитал я это письмо, переходя от оше-ломления к ликованию, а от ликования — к легкой печали, и долго смотрел на бумагу, лежавшую на ко-ленях моих заплатанных штанов. Я воюю во Фланд-рии, Анхелика же думает обо мне. Бог даст, я еще су-мею продолжить рассказ о приключениях капитана Алатристе и своих собственных, и тогда вы узнаете, какие же виды имела на меня Анхелика де Алькесар в ту пору, когда нашему веку исполнилось двадцать пять лет, ей — тринадцать, а мне пошел пятнадца-тый год. Впрочем, вы и сами, должно быть, догады-ваетесь, что благодаря этим ее видам пережил я мгновения величайшего счастья и самого черного ужаса. Пока скажу лишь, что это златокудрое сине-глазое существо, столь же прелестное, сколь и ко-варное, по каким-то неведомым причинам, объяс-нить которые можно лишь тем, что есть женщины, с самого появления на свет хранящие в сокровенных своих глубинах темную тайну, — так вот, существо это холодно, намеренно, осознанно еще много раз заставит меня рисковать... добро бы еще бренной плотью — нет, спасением души. И загадочным обра-зом будут уживаться в ней любовь — ибо, смею ду-мать, иногда она меня все же любила, — и ненависть, ибо всю жизнь ввергала в разнообразные несчастия. И продолжаться это будет до тех пор, пока ранняя и трагическая смерть не вырвет ее из моих рук, не из-бавит меня от нее — клянусь Богом, я и сам, как ви-дите, не знаю, скорбеть или радоваться.

— Ты ничего хочешь мне сказать? — спросил капи-тан Алатристе.

Сказано было мягко и вроде бы без подвоха. Я обернулся. Он сидел рядом со мной на камне под деревом с обрубленными на растопку ветвями. Шляпа в руке, отсутствующий взгляд устремлен куда-то вдаль, к стенам Бреды. Так просидел он все то время, что я читал и перечитывал письмо Анхелики.

— Да ничего особенного не скажешь, — ответил я.

Капитан медленно склонил голову, как бы принимая мой ответ, слегка пригладил двумя пальцами усы. Промолчал. Он сидел ко мне боком, и в эту минуту показался мне похожим на орла, неподвижно и покойно отдыхающем на вершине скалы. Два шрама на лице — над бровью и поперек лба, а на тыльной стороне левой руки — третий, оставленный Гвальтерио Малатестой у Приюта Духов. Еще несколько скрыты под одеждой, так что в итоге выходит восемь. Исцарапанный чужими клинками эфес шпаги, залатанные сапоги, перехваченные под коленями аркебузными фитилями, тряпки, вылезающие из прохудившихся подошв, бахромчатый от ветхости суконный плащ неопределенного цвета. Может, и моему хозяину случалось любить когда-то, подумал я. Может, он и сейчас еще по-своему кого-нибудь любит — Каридад Непруху или молчаливую светловолосую фламандку из Аудкерка.

Вот он тихо вздохнул — вернее, просто выдохнул воздух из легких — и стал подниматься. Тогда я протянул ему письмо. Он молча взял его и, прежде чем приняться за чтение, посмотрел на меня — но теперь уже я с каменным лицом уставился на стены Бреды. Краем глаза, однако, я заметил — рука со шрамом снова поднялась, два пальца опять пригла-

Дон Педро и мы

дили усы. Потом зашуршала, складываясь по сгибам, бумага, и письмо вернулось ко мне.

— Есть на свете такое... — начал он.

И замолчал. Я бы не удивился, если бы капитан этими словами и ограничился — это было вполне в его манере. Но он заговорил снова:

— Есть на свете такое, что женщины знают с рождения... Пусть даже и не подозревают об этом.

И снова замолчал. Потом как-то поерзал, будто не знал, чем завершить фразу.

— А мужчинам, чтобы постичь это, иной раз и жизни мало.

И на этот раз уже ничего не прибавил к сказанному. Никаких тебе: «берегись, будь осторожен, это племянница нашего врага», — или тому подобных предостережений, которые были бы столь уместны в данном случае, и которые, как он, без сомнения, знал, я с наглым юношеским высокомерием пропустил бы мимо ушей. Он еще посидел немного, оглядывая далекий город, потом надел шляпу, поднялся, оправляя плащ на плечах, и направился к траншеям. Я смотрел ему вслед, раздумывая над тем, скольких женщин надо узнать, сколько дорог пройти, сколько ударов шпагой получить и отразить, сколько раз видеть чужую смерть и заглядывать в глаза своей собственной, — чтобы повернулся язык выговорить такие слова.

Была середина мая, когда Генрих Нассау, преемник почившего Морица, решил в последний раз попытать счастья и прорваться к Бреде. И вот ведь какое случилось невезение: накануне выступления голландцев наш полковой командир дон Педро де ла Амба с несколькими штабными офицерами отправился с инспекцией на северо-восток, а взвод капитана Алатристе назначили сопровождать начальство. Ну, Петлеплёт тронулся в путь, как положено, верхом, под знаменем, с полдесятком штабных и с шестью немцами-алебардщиками личной охраны, а человек двенадцать пехоты, среди коих был мой хозяин, Копонс и все прочие с аркебузами и мушкетами, кортеж этот открывали и замыкали. Я шел в хвосте, таща свою суму, набитую кое-какими припасами, порохом и пулями, и глядел, как отражается вереница людей и лошадей в тихой воде, розовой от склонявшегося к горизонту солнца. Небо чистое, день тихий, нежаркий, и ничто не предвещало грозных событий, воспоследовавших в самом скором времени.

Замечено было, что голландцы зашевелились, и наш генерал дон Амбросьо де Спинола поручил дону Педро лично осмотреть позиции, которые итальянцы занимали у реки Мерк, на узкой дороге, ведущей к Севенбергу и Струденбергу, — осмотреть на предмет того, не надо ли перебросить к ним для усиления роту испанцев. Петлеплёт решил переночевать в Терхейдене, где стоял гарнизоном Ла́тарский полк, а наутро вместе с начальником его штаба доном Карлосом Ромой выехать на место и во всем разобраться. До Терхейдена добрались мы засветло; полковник со своей свитой разместился в приготовленных для них палатках, мы же расположились на небольшом редуте — частокол да корзины с землей — поужинали чем бог послал, а вернее — чем по-братски поделились с нами веселые итальянцы. Капитан Алатристе отправился к палатке справиться, не будет ли каких распоряжений, на что дон Педро в обычной своей грубой и пренебрежительной манере ответил, что он, мол, ни для чего ему не нужен и может быть свободен. Вернувшись к остальным, Алатристе рассудил, что местность незнакомая, а итальянцы — люди, может, и хорошие — да ненадежные, так что выставить надо собственные караулы. Мендьета пошел в первую смену, старший Оливарес — во вторую, а для себя капитан приберег третью. И, стало быть, Мендьета с заряженной аркебузой и тлеющим фитилем остался у костра, а мы все устроились на ночлег кто как мог.

Занималась заря, когда меня разбудили странный шум и крики «В ружье!». В грязно-сером рассветном сумраке увидел я Алатристе и прочих: они поджигали фитили аркебуз, щелкали кремневыми замками пистолетов, загоняли пули в стволы мушкетов, и все это — очень торопливо. Совсем неподалеку оглушительно гремела пальба, звучали разноязычные крики. Выяснилось вскорости, что Генрих Нассау выслал к дамбе отряд отборных английских стрелков и еще человек двести латников, вверив команду над ними британскому же полковнику Веру, а следом двигались французы с немцами общим числом тысяч до шести, в арьергарде же шла тяжелая артиллерия, обоз и конница. Чуть рассвело, как англичане с большим жаром атаковали первое итальянское укрепление, защищаемое прапорщиком с горсткой солдат, закидали их ручными бомбами, а уцелевших зарубили. После этого с той же отвагой и столь же удачно заняли люнет, прикрывавший ворота форта, и стали карабкаться на его стены. Тут итальянцы в траншеях, увидев, что неприятель сумел прорваться так далеко, а они остались без прикрытия, пришли в замешательство и траншеи свои оставили. Англичане бились рьяно и доблестно, ничего не скажешь, чести своей не уронили и сильно потеснили роту итальянцев под командой Камило Фениче, оборонявшую форт, так что те самым позорным образом обратили к неприятелю спину, дабы подтвердить, быть может, мнение Тирсо де Молины о некоторых солдатах:

> Колоду карт засаленных тасуя,
> Святых тревожат жуткою божбой,
> Они и Божью Мать помянут всуе,
> Как девки их поманят за собой.
> — А бой случится — мы костьми не ляжем,
> Не станем насмерть. Ну какой в том прок?
> Ужо мы неприятелю покажем...
> Подошвы наших доблестных сапог.

Но, переходя от стихов к самой что ни на есть грубой прозе, скажу, что англичане прорвались к палаткам, где ночевал дон Педро со своей свитой, и те, выскочив наружу кто в чем был и вооруженные чем попало, стреляя наугад и тыча клинками куда придется, оказались меж бегущих в беспорядке итальянцев и наступающих англичан. Мы же, находясь от палаток шагах примерно в ста, увидели и бегство это, и наступление, и вспышки выстрелов, озарявшие сероватый предутренний сумрак. Первым по-

Дон Педро и мы

буждением Алатристе было устремиться к палаткам, но, уже занеся ногу над бруствером, сообразил он, что это ничего не даст: остановить бегущих не удастся, потому что оттуда, где расположился его взвод, отступать некуда: пригорок, а за ним — болото. Итальянцы избрали для ретирады иной путь. Только дон Педро со свитой и алебардщиками медленно пятился к редуту, отчаянно отбиваясь от наседавших британцев, которые отрезали ему путь к отступлению, прапорщик же Мигель Чакон спасал знамя. Смекнув, что эта кучка людей ищет спасения на нашем редуте, Алатристе расставил своих людей за корзинами с землей и велел прикрывать полковника беглым огнем, причем и сам посылал в противника пулю за пулей. Я же сидел на корточках за бруствером, подавая стрелкам заряды и порох. Чакон только начал подниматься по откосу, как аркебузный выстрел в спину сшиб его наземь. Мы видели его искаженное от боли лицо, обрамленное густыми солдатскими бакенбардами — прапорщик силился приподняться и уже немеющими пальцами подхватить выпавшее из рук древко. Ему это удалось, он встал было, но в этот миг прилетела новая пуля, и Чакон повалился ничком. Под пологим склоном рядом с трупом знаменосца, так доблестно исполнявшего свой долг, валялось знамя, и Ривас спрыгнул вниз, чтобы подобрать его. Я, помнится, упоминал, что Ривас был родом из Финистерры, где живут не у Христа за пазухой, а у черта на куличках, и никому бы и в голову не могло прийти, что галисиец бросится спасать знамя. Однако от этого народа никогда не знаешь, чего ждать, — вечно преподносят они тебе сюрпризы. Ну, так или иначе, славный Ривас пробежать успел по склону всего футов шесть-семь — тут его прошило сразу несколько пуль, и он скатился вниз, к самым ногам дона Педро, которого вместе с его людьми должны были вот-вот изрубить на куски. Шестеро его алебардщиков делали свое дело в высшей степени добросовестно, ибо немцы, когда им хорошо платят, от добра добра не ищут, жизнь себе не усложняют и голову не ломают — так что все они пали, как Господь заповедал, дорого продав свою шкуру и до последнего оберегая полковника, а тот, успев, к счастью для себя, надеть кирасу, еще держался на ногах, хоть и получил две или три скверных раны. Англичане, уверенные в успехе, не ослабляли натиск, и валявшееся на откосе белое полотнище с синим косым крестом разжигало их отвагу: в соответствии с понятиями того времени, оно заключало в себе честь Испании и нашего государя. Захваченное в бою знамя покрывает славой добывших его и позором — потерявших.

— No quarter! No quarter![1] — горланили эти мерзавцы.

Наши выстрелы уложили нескольких англичан, однако теперь это было слабым утешением для дона Педро и его людей. Помочь им мы уже не могли ничем. Кто-то из них — а кто именно, сказать затрудняюсь: рассеченное ударом шпаги лицо было залито кровью — взял за локоть и попытался вывести полковника из боя. Но Петлеплёт, отдадим ему должное, остался верен себе до конца: отстранил

---

1   Не давай пощады! (*англ.*)

Дон Педро и мы

офицера, подтолкнул его вверх по склону, пронзил шпагой одного англичанина, завязив клинок глубоко в его теле, обжег другого выстрелом в упор — и, непреклонный, несгибаемый, ни на йоту не утратив в смертный час надменности, столь свойственной ему в жизни, пал под ударами англичан, которые, распознав его чин, разразились ликующими криками.

— No quarter! No quarter!

Воспользовавшись этим радостным замешательством, двое уцелевших бросились вверх, но одного через несколько шагов догнала, пробив насквозь, пика. Другой — тот самый, что пытался спасти дона Педро, — подскочил к знамени, наклонился, подобрал, выпрямился, сделал еще три-четыре шага и рухнул, изрешеченный пулями. Знамя снова оказалось на земле, но наши были слишком заняты стрельбой по англичанам, которые упрямо лезли вверх по откосу и твердо намеревались прибавить к трупу полковника еще один — и какой! — трофей. Я и сам, не переставая отмерять заряды пороха и отсчитывать пули, запас коих опасно скудел прямо на глазах, в промежутках прикладывался и стрелял, просовывая меж турами ствол оставленной Ривасом аркебузы. Заряжать мне ее было несподручно — мал еще был ростом — а зверская отдача — ну как будто мул копытом саданул — чуть не выбивала мне плечо из сустава. Тем не менее раз пять или шесть я все же выстрелил: сплевывал свинцовый шарик пули в дуло, осторожно насыпал порох на полку, взводил курок, раздувал фитиль — недаром же я столько раз видел, как делали это капитан Алатристе и прочие.

Обо всем позабыл в горячке боя и грохоте пальбы, и от черного едкого пороха щипало мне глаза, ноздри и рот. Письмо Анхелики де Алькесар лежало у меня на груди, под колетом.

— Если выберусь живым, — бормотал рядом со мной Гарроте, торопливо заряжая аркебузу, — во Фландрию больше не вернусь, хоть озолотите...

Меж тем схватка у ворот форта и на дамбе закипела с новой силой. Увидав, что люди капитана Фениче, павшего в воротах, как пристало воину, бегут, дон Карлос Рома, который был мужчиной не потому, что штаны носил, сам схватил круглый щит и шпагу, остановил отступающих и дал отпор англичанам, благо проход был узкий и разом прорваться через него можно было лишь поодиночке. Так, мало-помалу восстановилось равновесие, итальянцы же, перестроившись и придя в чувство, сплотились вокруг своего полковника и держались стойко: надо сказать, что эта нация дерется не хуже прочих, если есть за что и если ее раззадорить, — а потом начали сбрасывать англичан со стен, отбив, стало быть, их приступ.

Но нам от этого было не легче: не менее сотни англичан упрямо перли по склону, знамя упало, туры от непрестанной пальбы меньше чем с двадцати шагов стали уже не защитой, а помехой.

— Порох кончается! — крикнул я.

И, видит бог, не соврал. Оставалось по два-три заряда на ружье. Курро Гарроте, матерясь, как последний галерник, скорчился за бруствером, прижимая к груди руку, раздробленную мушкетной пулей. Пабло Оливарес взял у него пули и стрелял, по-

Дон Педро и мы

ка не вышли и они, и его собственные. Что касается остальных, то Хуан Куэста давно уже валялся мертвым, а теперь к нему присоединился и Антонио Санчес, старый солдат родом из Тордесильяса. Мурсиец Фульхенсио Пуче вскинул руки к лицу, и между пальцами у него хлынула кровь так обильно, словно кабанчика прикололи. Остальные достреливали последние свои заряды.

— Крышка, однако, — заметил Пабло Оливарес.

Мы в нерешительности переглянулись, а крики англичан приближались с каждой минутой и звучали теперь совсем рядом, на склоне. Меня лично повергли они в сильный страх и глубокое уныние. Времени не оставалось не то что на раздумье, а и на то, чтоб «Верую» прочесть: либо в рукопашную идти, либо тонуть в болоте. Кое-кто потянул из ножен шпаги.

— Знамя, — сказал Алатристе.

Одни взглянули на капитана с недоумением. Другие — и первым оказался Копонс — поднялись и сгрудились вокруг него.

— Дело говорит, — кивнул Мендьета. — Со знаменем оно как-то веселей.

Я понял его. Лучше драться под знаменем, чем притаиться здесь за турами, как зайцы под кустом. Страх мой исчез, зато навалилась глубочайшая и какая-то застарелая усталость, и захотелось, чтобы все уже кончилось разом. Захотелось закрыть глаза и проспать до второго пришествия. Я полез за кинжалом и заметил, как дыбом встали волоски на руке. Рука дрожала, дрожал, соответственно, и кинжал, так что я крепче стиснул его. Алатристе заметил это, и на кратчайший миг в его светлых глазах мелькнула извиняющая улыбка. Потом он обнажил клинок, снял шляпу, стянул через голову портупею с «апостолами» и молча полез на бруствер.

— Испания! Испания и Сантьяго! — раздался чей-то крик.

— Какой там, к матери, Сантьяго... — процедил Гарроте, поднимаясь со шпагой в здоровой руке. — Бей их, ребята!!!

Уж не знаю, как, но мы выжили. О том, что происходило на склоне, ведущем к редуту Терхейдена, остались у меня смутные воспоминания. Помню, как появились мы над бруствером, и кое-кто торопливо крестился, а потом наподобие своры бешеных псов ринулись вниз по склону, вопя во всю мочь, размахивая клинками — в тот самый миг, когда англичане уже тянули руки к валявшемуся на земле знамени. Они оторопели при нашем появлении, ибо полагали, что оборона уже сломлена, и замерли на месте, не успев ухватить ясеневое древко. Я упал на знамя, обхватил его, готовый сдохнуть, но не выпустить этот кусок плотной материи, и вместе с ним покатился по откосу, прямо по трупам офицера из свиты дона Педро, и прапорщика Чакона, и славного галисийца Риваса, и по англичанам, которых Алатристе и остальные погнали по склону с таким свирепым напором (преимущество отчаявшихся — в том, что они не ждут спасения), что те дрогнули, попятились, оступаясь, натыкаясь друг на друга и падая. И вот уже кто-то из них первым показал спину, прочие последовали его примеру. Алатристе, и Копонс, и оба Оливареса, и Гарроте, и все, кто уцелел к этой минуте, были залиты вражьей кровью, ослепли от смертоубийства. И — ей-богу, не вру! — англичане, все, сколько их было, ударились в бегство, а наши преследовали их, разя в спину, и такой вот плотной толпой все вместе достигли подножья, где лежало бездыханное тело дона Педро. Это была сущая бойня, и весь склон был завален трупами англичан, по которым катился я, крепко вцепясь в знамя, и вопил что есть мочи, будто хотел выплеснуть в этих воплях и отчаянье свое, и ярость, и отвагу того племени, к которому принадлежали мужчина и женщина, зачавшие меня. Господь свидетель, мне пришлось побывать потом во многих боях и битвах, но такой резни я никогда больше не видел. Я и сейчас еще пускаю слезу, словно какой-нибудь щенок-несмышленыш, когда вспоминаю это, когда вижу, как я, всего-то-навсего пятнадцатилетний паренек, вцепясь в дурацкую сине-белую тряпку, несусь с дикими криками по окровавленному склону редута Терхейдена в тот день, когда капитан Алатристе отправился искать себе славной смерти, а я последовал за ним, и товарищи его тоже. Потому что совестно было отпускать его одного.

Эпилог

Все прочее — на картине и в истории. Девять лет спустя, утром, я пересек улицу и вошел в мастерскую Диего Веласкеса, камер-юнкера его величества. День был зимний и серый, и погода еще гнусней, чем во Фландрии: ледок на замерзших лужах похрустывал под моими сапогами со шпорами, и холодный воздух щипал щеки, как ни кутался я в плащ, как ни нахлобучивал шляпу. И потому сущим блаженством было очутиться в теплом темном коридоре, а потом — в просторной мастерской, где в камине весело пылал огонь. Большие окна освещали полотна, развешанные по стенам, натянутые на подрамники или разложенные на деревянном настиле пола. Пахло краской, скипидаром, политурой, и в эту симфонию запахов вплетал ароматную мелодию стоявший на очаге котелок, где варилась курица со специями и вином.

— Прошу вас, сеньор Бальбоа, — произнес Диего Веласкес.

Путешествие в Италию, жизнь при дворе, милости нашего государя дона Филиппа Четвертого так благотворно сказались на нем, что художник утратил свой севильский выговор, резавший ухо лет двенадцать назад, когда я впервые увидел Веласкеса на ступенях Сан-Фелипе. Сейчас он сухой чистой тряпочкой тщательно протирал кисти, раскладывая их после этого на столе в ряд. Черная *ропилья* была кое-где выпачкана красками, волосы растрепаны, усы и бородка давно взывали к цирюльнику. Любимый живописец нашего государя никогда не приводил себя в порядок до полудня, когда делал перерыв в работе, чтобы отдохнуть и подкрепиться после нескольких часов упорного труда, начинавшегося с первым светом дня. Никто из домашних не смел тревожить его до этого перерыва. Потом он вновь работал, потом закусывал, потом, если обязанности не требовали его присутствия во дворце и если не возникали, как принято нынче говорить, обстоятельства неодолимой силы, прогуливался по Сан-Фелипе, Пласа-Майор или по Прадо в компании с доном Франсиско де Кеведо, Алонсо Кано и другими друзьями, знакомыми и учениками.

Сложив на табурет плащ, шляпу, перчатки, я подошел к очагу, зачерпнул добрую порцию похлебки, наполнил ею высокую кружку и, грея о нее озябшие руки, стал прихлебывать ароматное варево.

— Ну, как идут дела при дворе? — спросил я.

— Медленно.

Мы оба усмехнулись старинному присловью. В это время Веласкесу дали важное поручение — отделать и украсить залы нового дворца Буэн-Ретиро.

Поручение исходило непосредственно от самого короля, что тешило самолюбие художника, хоть он и жаловался иногда, что это не дает ему наслаждаться собственным творчеством. Ради него он передал свое звание камергера Хуану Баутисте де Масо, удовольствовавшись менее хлопотными и, так сказать, номинальными обязанностями камер-юнкера.

— Как поживает капитан Алатристе? — осведомился Веласкес.

— Хорошо. Велел кланяться. Вместе с капитаном Контрерасом и доном Франсиско де Кеведо пошел навестить Лопе у него дома на улице Франкос.

— А как наш Феникс[1]?

— Неважно. Бегство его дочери Антоньиты с Кристобалем Тенорьо подкосило его... Никак не может оправиться.

— Надо и мне выкроить часок и проведать старика... Что, он очень сдал?

— Все опасаются, что эта зима станет для него последней.

— Жаль, жаль...

Я сделал еще несколько глотков. Похлебка обжигала, но возвращала к жизни.

— Кажется, будет война с кардиналом Ришелье, — заметил художник.

— На паперти Сан-Фелипе только о том и толкуют.

Направившись к столу, чтобы поставить кружку, я задержался перед картиной на подрамнике — она была завершена, оставалось только лаком покрыть.

1 Прозвище Лопе де Веги — Испанский Феникс.

Анхелика де Алькесар была чудо как хороша в белом атласном платье, расшитом золотом, отделанном крошечными жемчужинами, и в наброшенной на плечи мантилье из брюссельских кружев — мне было доподлинно известно, что кружева именно брюссельские, потому что я эту мантилью ей и подарил. От насмешливо-пристального взгляда синих глаз, казалось, ничего не укроется — да так оно и было, в моей, по крайней мере, жизни. Я усмехнулся про себя, заметив портрет, — не прошло и нескольких часов, как я расстался с той, кто послужила для него моделью: вышел на спящую улицу, приняв меры предосторожности на тот случай, если меня подкарауливают нанятые дядюшкой убийцы, — то есть завернувшись в плащ и положив на эфес руку, пальцы которой, равно как и губы мои, и вся кожа, еще хранили пленительный аромат Анхелики. На спине носил я и уже зарубцевавшуюся память об острие ее кинжала, в голове еще звучали ее слова, исполненные любви и ненависти — то и другое было неподдельным и смертоносным.

— Я добыл для вас набросок... — сказал я Веласкесу. — Мой старинный товарищ часто видел и хорошо запомнил шпагу маркиза Бальбосского. По моей просьбе он зарисовал ее.

Отвернувшись от Анхелики, я достал из-под *ропильи* и протянул художнику сложенный лист бумаги.

— Бронзовый эфес с навершием литого золота. Видите, как расположены защитные кольца?

Веласкес, оставив кисти и тряпку, с довольным видом рассматривал рисунок.

— А перья у него на шляпе были белые. Точно помню.

— Превосходно, — отозвался Веласкес.

Он положил листок на стол и оглядел картину. Предназначенная для убранства одного из залов дворца Буэн-Ретиро, а именно — «Салона королевств», она была огромных размеров и помещалась у стены на особом станке, снабженном лесенкой для работы над верхней частью холста.

— Я решил вас послушаться, — добавил он задумчиво. — И заменить знамена копьями.

После того как дон Франсиско де Кеведо посоветовал Веласкесу обговорить со мной все подробности достопамятного события, мы с ним провели несколько месяцев в долгих беседах. Художник решил отказаться от изображения на полотне ярости битвы, от вида скрещенных клинков и прочих непременных принадлежностей батальной живописи, сделав выбор в пользу величавого спокойствия. Он сказал мне как-то, что хотел бы запечатлеть одновременно и великодушие, и высокомерие, и передать это сочетание в свойственной ему манере: чтобы действительность представала не такой, какова она есть на самом деле, а такой, какой он желает ее показать, — и чтобы в картине сквозила недоговоренность, оставляя зрителю простор для умозаключений.

— Ну что? — мягко спросил он.

Мне ли было не знать, что суждения двадцатичетырехлетнего солдата об искусстве не стоят для Веласкеса ломаного гроша. Другое было нужно ему, другого он добивался — я понял это по тому, как едва ли не опасливо смотрел он на меня, покуда я водил глазами по огромному холсту.

— Все было так и не так, — ответил я.

И тотчас пожалел о том, что слова эти сорвались с языка: я боялся обидеть Веласкеса. Но он лишь слегка улыбнулся:

— Я ведь знаю, что никакого холма такой высоты в окрестностях Бреды нет и что перспектива не вполне естественна. — Он сделал несколько шагов и, уперев руки в бока, уставился на картину. — Но сцена получилась, и это главное.

— Я имел в виду не это...

— Я понял, что вы имели в виду.

Веласкес подошел к тому месту, где изображена была рука голландца Юстина Нассау, протягивающая генералу Спиноле ключ от города, — этот кусок был еще не дописан, и вместо ключа виднелось лишь пятно, — и слегка потер его большим пальцем. Потом отступил на шаг, не сводя глаз с холста: он всматривался в пространство между головами двух военачальников, отчеркнутое стволом аркебузы, лежащей на плече безусого и безбородого солдата, — туда, где угадывался полускрытый головами офицеров орлиный профиль капитана Алатристе.

— В конце концов, вспоминать будут именно это, — промолвил он. — Я хочу сказать — потом, когда и вы, и я ляжем в сырую землю.

Я рассматривал лица полковников и капитанов на первом плане — некоторым не хватало последних ударов кисти. Меня не смутило, что кроме Юстина Нассау, принца Нойбургского, дона Карлоса Коломы, маркизов Эспинара и Леганеса, ну, и, разумеется, самого генерала Спинолы, среди изображенных на холсте не было тех, кого я видел там в то утро, — зато своего друга, художника Алонсо Кано, Веласкес написал в виде голландца-аркебузира, стоящего слева, а черты, весьма похожие на свои собственные, придал офицеру в высоких сапогах, повернутого лицом к зрителям в правом углу. И что учтиво-рыцарственный жест Спинолы — генерал скончался от горя и позора четыре года назад, в Италии — соответствовал действительности, а вот голландский полководец получился куда более покорным и униженным, чем на самом деле. Нет, меня проняло, что в этой торжественно-спокойной композиции — «Нет-нет, дон Юстин, не склоняйтесь передо мной...», — в сдержанности наших и голландских офицеров таилось именно то, что я наблюдал своими глазами и вблизи: горделивая спесь победителей, ненависть и отчаяние в глазах побежденных; ожесточение, с которым мы друг друга резали и долго еще будем резать, благо места в земле, укрытой дымно-серой пеленой пожарищ, всем хватит. Что же касается тех, кто попал на первый план картины, и кто не попал, то мы — испытанная всеми родами смерти, многотерпеливая испанская пехота, делавшая самую черную работу в штольнях и траншеях, белевшая рубахами во тьме ночных боев, разносившая порохом и ломами плотину Севенберга, дравшаяся у Руйтерской мельницы и на стенах форта Терхейден, — в своей изношенной одежонке, со своими хворями и болячками, во всей своей красе и во всем убожестве были всего лишь пушечным мясом, задником вечной декорации, и на фоне его другая

Испания, вылощенная, нарядная и парадная, с лег-
ким поклоном принимала ключи от Бреды, которую
в конце концов, как мы того и опасались, пограбить
нам так и не дали; и она-то вот, эта другая Испания,
разрешила запечатлеть себя для потомства и позволила себе роскошь быть великодушной: «Полноте,
дон Юстин, прошу вас...» Но все же мы стояли среди
знати, и солнце еще не зашло во Фландрии.

— Это будет великое произведение, — сказал я.

И не покривил душой. Это будет великое произведение, и, надо полагать, благодаря ему мир узнает
нашу несчастную Испанию, малость похорошев-
шую на картине, с которой так и веет бессмертием,
ибо создавала ее кисть величайшего мастера всех
времен. Что ж, а действительность, истинные мои
воспоминания останутся на заднем плане — там,
чуть в стороне от центра композиции, на которую,
по правде говоря, мне глубочайшим образом плевать, там, где старое знамя в сине-белую клетку ле-
жит древком на плече косматого усатого знаменосца, похожего на прапорщика Чакона, хоть я своими
глазами видел, как его убили, когда он пытался это
самое знамя спасти на редуте Терхейдена. Они останутся в аркебузирах Ривасе, Льопе и всех прочих,
кто не вернулся в Испанию и вообще никуда, — стоящих за пределами полотна или таящихся в лесу
этих выровненных копий: пусть на картине они без-
личны и безымянны, но я-то могу по именам назвать своих живых и мертвых товарищей, которые
пронесли эти копья через всю Европу, поливая ее
по́том и кровью ради того, чтобы сбылись вещие
слова:

> И если снова грянет бой кровавый,
> Воочью изумленный мир узрит,
> Как сникнет галл, как оробеет брит,
> Как дрогнет шваб, как страх объяст батава,
> Как осенит тебя крылами слава,
> Пехоты нашей доблестной солдат!
> Ты шел стезею тяжких испытаний,
> Сквозь череду бесчисленных кампаний,
> Вослед за солнцем яростным Испаний
> Свой путь торя с восхода на закат.

Им, испанцам, разноязыким, разноплеменным, но единым в честолюбии, высокомерии, страдании, им, а не грандам, расположившимся на переднем плане, отдает голландец свои трижды проклятые ключи. Им — этому безликому, безымянному воинству, которое по воле художника лишь чуть угадывается на склоне никогда не существовавшего холма. В десять часов пополуночи, июня пятого дня в лето от Рождества Христова тысяча шестьсот двадцать пятое, в царствование нашего славного государя Филиппа Четвертого я вместе с капитаном Алатристе, Себастьяном Копонсом, Курро Гарроте и прочими выжившими — в сильно прореженном взводе осталось таковых немного — присутствовал при капитуляции крепости Бреда. А спустя девять лет, в Мадриде, стоя перед картиной, написанной Диего Веласкесом, я словно бы вновь услышал барабанный бой, увидел, как издалека, между окутанных дымом фортов и траншей перед Бредой движутся, чуть колыша знамена и копья, бестрепетные полки лучшей в мире пехоты, идут испанцы — всем ненавистные, свирепые, надменные, вспоминающие о дисциплине только под огнем, твердо помнящие, что «все вынесут они на поле брани, лишь не снесут к ним обращенной брани».

От издателя

К вопросу о присутствии капитана Алатристе на картине Диего Веласкеса «Сдача Бреды»

Вопрос о том, имеется ли в числе персонажей картины Веласкеса «Сдача Бреды» капитан Диего Алатристе-и-Тенорио, дебатируется уже на протяжении значительного времени. Опираясь на свидетельство Иньиго Бальбоа, непосредственного очевидца создания картины, который без колебаний утверждал (причем дважды — на стр. 10 «Капитана Алатристе» и на стр. 217 «Испанской ярости»), что его хозяин является одним из персонажей этой композиции, удалось установить путем изучения голов в правой части полотна, что центральный образ, бесспорно, принадлежит генералу Спиноле и — с меньшей степенью уверенности — идентифицировать находящихся рядом с ним лиц, как соответственно — Карлоса Колому, маркизов Леганеса и Эспинара, а также принца Нойбургского. Исследования профессоров Хусти, Альенде Салазара, Санчеса Кантона и Тембури Альвареса показывают, что одна из голов на картине носит явные черты сходства с

К вопросу о присутствии капитана Алатристе...

наружностью капитана Алатристе, описанной Иньиго Бальбоа.

Ни прапорщик с древком знамени на плече, ни безбородый и безусый мушкетер на дальнем плане слева не могут быть Диего Алатристе. Отпадают также бледный кабальеро с непокрытой головой, стоящий под знаменем рядом с конем, и тучный офицер без шляпы, виднеющийся под горизонтальным стволом аркебузы — в последнем профессор Севильского университета Серхио Саморано идентифицировал капитана Кармело Брагадо. Некоторые ученые выдвинули предположение, что Диего Алатристе — это стоящий на переднем плане справа офицер, повернутый лицом к зрителям, тогда как целый ряд специалистов — и среди них Тембури — считают, что в этом образе Веласкес запечатлел самого себя, как бы уравновесив автопортретом изображение своего друга Алонсо Кано, представленного в виде голландского аркебузира на переднем плане слева.

Как указывает профессор Саморано в своем труде «Бреда — реальность и легенда», черты Диего Алатристе могут совпадать с чертами офицера, стоящего справа, хотя нельзя не признать, что черты этого персонажа мягче, нежели черты капитана Алатристе, знакомые нам по описанию Иньиго Бальбоа. Однако, по наблюдению барселонского исследователя и переводчика Мигеля Антона, изложенному в его работе «Капитан Алатристе и взятие Бреды», возраст его, не превышая тридцати лет, не совпадает с возрастом Алатристе в 1625 году и уж тем более — в 1634–1635 гг., когда и создавалось полотно, не говоря уж о том, что Алатристе, хотя и командовал взводом, оставался рядовым солдатом и, следовательно, не мог носить знаки различия офицера, которые мы видим на картине. Возможность того, что Алатристе, не представленный в правой группе персонажей, помещается среди других испанцев, стоящих на самом заднем плане, за протянутой рукой генерала Спинолы, отвергается после тщательного анализа, произведенного специалистом из «Фигаро Магазэн» Этьеном де Монтети.

Но как же быть с утверждением Иньиго Бальбоа, приведенном в первом томе настоящей серии на стр. 10: «*...ибо когда при штурме бастиона Юлих отца моего прошила аркебузная пуля — отчего он и не попал на картину "Сдача Бреды", не в пример своему другу и тезке Алатристе, которого-то художник Веласкес как раз запечатлел на ней справа, прямо за лошадиным крупом...*»? Эти не слишком связные слова в течение длительного времени было принято считать лишь игрой воображения, данью благодарной памяти капитану Алатристе, не выдерживающей никакой критики с точки зрения исторической достоверности. Даже сам Артуро Перес-Реверте, в пору работы над «Приключениями капитана Алатристе» использовавший в качестве документального источника воспоминания Иньиго Бальбоа, который служил солдатом во Фландрии и Италии, участвовал уже в чине прапорщика в битве при Рокруа, затем был лейтенантом королевского почтового ведомства, затем — капитаном испанской гвардии, по достижении пятидесятилетнего возраста (в 1660 году) вышел в отставку вскоре после своей женитьбы на донье Инес Альварес де Толедо, вдове маркиза де Альгуасаса, — считал утверждения Иньиго Бальбоа не соответствующими действительности.

Счастливый случай позволил раскрыть эту тайну, приняв в расчет данные, мимо которых прошли все исследователи, включая и самого создателя серии, базирующейся практически целиком на рукописи Бальбоа[1]. В августе 1998 года, когда я по делам издательским посетил Переса-Реверте у него дома возле Эскориала, писатель поведал мне, сам еще не вполне оправясь от глубокого изумления, о своем случайном открытии, произошедшем при изучении документов для создания эпилога третьего тома. Накануне, сверяясь с монографией «Веласкес», принадлежащей перу Хосе Камона Аснара, одного из крупнейших знатоков творчества нашего гения, Перес-Реверте на стр. 508–509 первого тома (Мадрид, «Эспаса Кальпе», 1964) обнаружил, что профессор Аснар на основании рентгенологического изучения полотна «Сдача Бреды» нашел подтверждения некоторым утверждениям Иньиго Бальбоа, до сей поры представлявшимся, мягко говоря, противоречивыми: так например, знамена на заднем плане в самом деле были «записаны» и заменены копьями. Что же, с художником, известным своими *раскаяньями*, подобное случалось не раз — он уничтожал уже написанные фигуры и предметы, изменял черты, отыскивал иное композиционное решение. Но, помимо

1   «Записки прапорщика Бальбоа». 478 стр. Мадрид. Рукопись. Продана с аукциона «Клеймор» в Лондоне 25 ноября 1951 г. В настоящее время находится в Национальной Библиотеке. — *Примечание издателя*.

знамен, уступивших место копьям, — согласимся, что, не будь этого, картина производила бы совсем иное впечатление! — выяснилось, что конь был прежде написан в трех различных видах; что на самом заднем плане, в точном соответствии с действительностью, угадывается некое водное пространство с плывущим кораблем; что в первоначальном варианте Спинола держался прямее; и что справа можно различить «записанные» впоследствии головы и шеи в валлонских воротниках. По неизвестным нам причинам Веласкес в окончательной версии картины уничтожил двух персонажей. Относительно же местонахождения Диего Алатристе, которое указано Иньиго Бальбоа с большой точностью — «*...пространство между головами двух военачальников, отчеркнутое стволом аркебузы, лежащей на плече безусого и безбородого солдата...*», — то зритель видит лишь пустое место над головой стоящего к нам спиной пикинера в синем колете.

Однако истинная неожиданность — лишнее доказательство тому, что живопись, как и литература, есть цепь задач-головоломок, — поджидала нас в нескольких словах, притаившихся на странице 509 книги профессора Аснара, относящихся к этому пресловутому пустому месту, где просвечивание в рентгеновских лучах обнаружило, что «*...за этой головой угадывается голова еще одного персонажа, похожего в профиль на орла*».

И, как нередко бывает, реальность подтверждает то, что нам казалось вымыслом. Мы никогда не узнаем, почему Веласкес решил «записать» эту голову, но, быть может, новые тома серии о приключениях отважного капитана откроют нам эту тайну[1]. Единственное, в чем мы можем быть уверены сейчас, по прошествии четырех столетий, — Иньиго Бальбоа не солгал: Диего Алатристе в самом деле был — и есть — на картине Веласкеса «Сдача Бреды».

Издатель

1 Не поддается логическому осмыслению исчезновение двух наиболее документированных свидетельств, касающихся жизни Диего Алатристе-и-Тенорио. В то время как воспоминания Иньиго Бальбоа и исследование картины «Сдача Бреды» доказывают, что фигура капитана по неизвестным причинам была «записана», в период после 1634 года появляется первый вариант комедии Педро Кальдерона де ла Барки, озаглавленной аналогичным образом, носящий следы последующей редактуры. Первая полная версия комедии, созданной в 1626 году и тогда же поставленной в Мадриде, совпадает по всем основным параметрам с рукописной копией, выполненной Диего Лопесом де Морой шесть лет спустя, однако содержит сорок стихов, исключенных из окончательного варианта. В них содержится упоминание о гибели Педро де ла Амбы и обороне редута Терхейден, которую возглавил Диего Алатристе, чье имя появляется в тексте еще в двух местах. Первоначальная версия, обнаруженная Клаусом Ольденбарневельтом, профессором Института испанских исследований при Утрехтском университете, хранится в архиве и библиотеке герцогов дель Нуэво Экстремо в Севилье, и мы воспроизводим ее в приложении к настоящему изданию с любезного разрешения доньи Макарены Брунер де Лебрихи, герцогини дель Нуэво Экстремо. Странность заключается в том, что эти сорок стихов исчезли из канонической версии комедии, опубликованной в 1636 году в Мадриде Хосе Кальдероном, братом драматурга в «Первой части комедий Педро Кальдерона де ла Барки». Исчезновение имени капитана Алатристе из текста пьесы «Сдача Бреды», равно как и его образа — с одноименного полотна, необъяснимо. Можно, впрочем, предположить, что причиной этого послужил приказ, отданный королем Филиппом IV или — что более вероятно — графом-герцогом Оливаресом, поскольку Диего Алатристе — опять же по неизвестным нам причинам — в период 1634–1636 гг. попал у них в немилость. — *Примечание издателя.*

Приложение[1]

ИЗВЛЕЧЕНИЯ
ИЗ «ПЕРЛОВ ПОЭЗИИ,
СОТВОРЕННЫХ НЕСКОЛЬКИМИ ГЕНИЯМИ
ТОГО ВРЕМЕНИ»

Напечатано в XVII веке без выходных данных. Хранится в отделе «Графство Гуадальмедина» архива и библиотеки герцогов де Нуэво Экстремо (Севилья).

Дон Франсиско де Кеведо
Эпитафия маркизу Амбросьо Спиноле, главнокомандующему католической армией во Фландрии
Сонет

То, для чего понадобились в Трое
Троянский конь и хитрость Одиссея,
Во Фландрии свершил ты, страх посея,
Своим клинком и мужеством героя.

1   Перевод Н.Ванханен.

Твоя когорта, бранный пыл утроя,
Пошла на штурм, и пали перед нею
Фрисландия и Бреда, цепенея,
Знамена побросав на поле боя.

В мятежном Пфальце ты стоял над бездной,
Но твердо положил к подножью трона
Оплот еретиков рукой железной.

Тобою Бреду обрела корона.
В Италии обрел ты рай небесный.
О, боль невосполнимого урона!

Кавалер в желтом колете
Сонет, посвященный благородной старости
Иньиго Бальбао

Черт побери, из области преданья —
И тот рубака — страх ему неведом! —
И мальчик, что за ним стремился следом
И не искал для стычек оправданья.

О том вояке плачет мирозданье!
О жарких схватках под открытым небом
И о клинке, приученном к победам —
Трубы походной скорбное рыданье.

Те подвиги, что вы знавали вместе,
Над смертью и забвением возвысьте —
Пускай не канут в вечность без возврата!

Пускай оруженосец честь по чести
Расскажет повесть храброго солдата,
Отважного Диего Алатристе!

Дон Педро Кальдерон де ла Барка
ОБОРОНА ТЕРХЕЙДЕНА

Фрагмент 3-го действия знаменитой комедии
«Осада Бреды»

ДОН ФАДРИКЕ БАСАН:

Ах, если бы к нам сегодня
Стремглав прискакал Энрике —
Уж то-то была бы радость,
Вот день-то был бы великий!

ДОН ВИСЕНТЕ ПИМЕНТЕЛЬ:

Да где уж! Эта удача
Едва ли нам улыбнется.

АЛОНСО ЛАДРОН, КАПИТАН:

А спорим, он не иначе
С союзниками столкнется!
Такое племя чудное!
Наш клич всегда одинаков:
«Ломи, Испания! К бою!
Святой апостол Иаков!»
У римлян ума не вдосталь —
Не все они понимают:
Святой Иаков — апостол,
Его инородцы знают,
Но верят глупой гурьбою

В нелепость иного сорта:
«Ломи, Испания! К бою!» —
одно из прозваний черта!
По мнению итальянцев,
Что рыскают по округам,
У нас, бесстыжих испанцев,
И Бог, и дьявол к услугам!

ДОН ФРАНСИСКО ДЕ МЕДИНА:

Что ж, если Энрике скачет
Антверпенскою дорогой,
Примкнет к итальянцам... значит...

(Звучит сигнал: «К бою!»)

ДОН ФАДРИКЕ:

Ну вот, началось тревогой!
Похоже, прорыв.

АЛОНСО:

О Тело
Господне! Пусть итальянцы
Покамест вступают в дело!
Пускай постоят испанцы
В сторонке...

ДОН ФАДРИКЕ:

Тсс, Бога ради!
Болтать — не твоя забота.
Не то завоешь в отряде
У доброго Петлеплёта!
С врагом там мерится силой,
Кто шпагой работал вяло.

ДОН ГОСАЛО ФЕРНАНДЕС ДЕ КОРДОВА:

Бежал?

ДОН ФАДРИКЕ:

Спаси и помилуй!
Такого недоставало!
Уж лучше в бою кончина,
Чем драпать, не давши сдачи.
Кто сдрейфил, тот не мужчина,
И не испанец, тем паче!

ДОН ГОНСАЛО:

И точно! Верность присяге —
Основа страны и трона.
В атаке — хвала отваге,
Но сверх похвал — оборона,
Где насмерть стоят редуты.

ДОН ФАДРИКЕ:

Когда бы не верность флагу,
Какие, скажите, путы
Сдержали б дающих тягу?

АЛОНСО:

Хотя против их народца
Я ничего не имею,
Фламандцев побить придется —
Не то подвесят за шею.
Бой лучше — будь он неладен —
Скрещенья трех перекладин!

(Слышен барабанный бой.)

ДОН ВИСЕНТЕ:

Ого, как рубятся рьяно!

(Слышен барабанный бой.)

ДОН ФАДРИКЕ:

В железном грохоте боя
Как славно дробь барабана
Слилась с поющей трубою!

ДОН ФРАНСИСКО ДЕ МЕДИНА:

Глядите, какие танцы:
Там строй прорывают роты!

ДОН ФАДРИКЕ:

Держитесь же, итальянцы!

АЛОНСО:

Проклятые обормоты!
Не выдержат ведь — карамба! —
Где надо — они не тянут!

ДОН ГОНСАЛО:

А вон и дон Педро Амба...

АЛОНСО *(в сторону)*:

Не к полночи будь помянут!

ДОН ГОНСАЛО:

Умрет, а назад ни шагу,
Равно, как его ребята!

(Слышен барабанный бой.)

ДОН ФАДРИКЕ:

А я заставляю шпагу —
О тягостный долг солдата! —
Томиться, уткнувшись в ножны,
Ржаветь и стыть без движенья!
Но действия невозможны:
Приказ — не вступать в сраженье,
В засаде сидеть. О Боже!
Непросто служить короне!

ДОН ВИСЕНТЕ:

Глядите, вон там, похоже,
Пробита брешь в обороне,
И надвое фланг расколот.
О, дьявол, дурные шутки:
Там в город вступают!..

АЛОНСО:

В город?

ДОН ФАДРИКЕ:

Как в город? Ну, это дудки!
Еще чего не хватало —
Закроем врагу дорогу!

ДОН ВИСЕНТЕ:

Стоять — приказ генерала,
Но к черту его, ей богу!
Вперед!

ДОН ГОНСАЛО:

Нарушать приказы?
Одумайтесь, кабальеро!

ДОН ФАДРИКЕ:

Приказы — пустые фразы,
Когда особая мера
Нужна — ведь случай особый!..

ДОН ВИСЕНТЕ:

Умерьте пыл и взгляните:
Стих ветер, дышавший злобой,
Застыло солнце в зените, —
Явив чудесные свойства,
Под триумфальные крики
Природа славит геройство,
Проявленное Энрике:
Врагу преградив дорогу
Отважно, неколебимо,
Как вовремя на подмогу
Пришел он солдатам Рима!
Восстал италийский воин
На поле сечи кровавой.
Но кто всех больше достоин
Венчаться бессмертной славой?
Конечно же, Карло Рома —
Такой ему жребий выпал!
Да вспомнит о нем корона,
Пожаловав герб и титул,
И прочее в том же роде
От дома и до амбара,
И всяческие угодья
За верность его удара!
Испанцы у бранной славы
Не раз гостили под кровом.
Прочь, зависть! Мы трижды правы,

Венчая венцом лавровым
Италию!

ДОН ФРАНСИСКО ДЕ МЕДИНА:

Несомненно
И тот достоит вниманья,
Кто знамя спасал от плена,
Издевок и поруганья.
Кто выстоял честно в драке,
Разбив англичан с налета —
Конечно, это вояки
Полковника Петлеплёта!
И есть между ними некто,
Не сдавший врагу ни пяди...

ДОН ГОНСАЛО:

Но кто этот Марс и Гектор
С огнем в горделивом взгляде?

АЛОНСО:

Диего де Алатристе,
Не ведавший поражений
В сверканье, звоне и свисте
Клинков на полях сражений!

ДОН ГОНСАЛО:

Конечно, ему по праву
(не меньше, чем Карлу Рома)
Воздаст Испания славу
Среди победного грома!
Каким отважным народом
Терхейден в бою не отдан!

ДОН ФАДРИКЕ:

Повержены и бескрылы
Враги испанской державы —
Разметаны вражьи силы,
Но вечно сиянье славы,
Которую мы стяжали,
Венчая лавром порфиру.
Пусть бронзовые скрижали
Об этом расскажут миру!

Оглавление

Литературно-художественное издание

Артуро Перес-Реверте

ИСПАНСКАЯ ЯРОСТЬ

Ответственный редактор *Н. Холодова*
Редактор *М. Немцов*
Художественный редактор *М. Юганова*
Компьютерная верстка *К. Москалев*
Корректор *Е. Четырина*

ООО «Издательство «Эксмо»
127299, Москва, ул. Клары Цеткин, д. 18, корп. 5. Тел.: 411-68-86, 956-39-21.
Home page: www.eksmo.ru E-mail: info@eksmo.ru

По вопросам размещения рекламы в книгах издательства «Эксмо»
обращаться в рекламный отдел. Тел. 411-68-74.

Оптовая торговля книгами «Эксмо» и товарами «Эксмо-канц»:
ООО «ТД «Эксмо». 142700, Московская обл., Ленинский р-н, г. Видное,
Белокаменное ш., д.1. Тел./факс: (095) 378-84-74, 378-82-61, 745-89-16,
многоканальный тел. 411-50-74.
E-mail: reception@eksmo-sale.ru

Мелкооптовая торговля книгами «Эксмо» и товарами «Эксмо-канц»:
117192, Москва, Мичуринский пр-т, д. 12/1. Тел./факс: (095) 411-50-76.
127254, Москва, ул. Добролюбова, д. 2. Тел.: (095) 745-89-15, 780-58-34.
www.eksmo-kanc.ru e-mail: kanc@eksmo-sale.ru

Полный ассортимент продукции издательства «Эксмо» в Москве
в сети магазинов «Новый книжный»:
Центральный магазин — Москва, Сухаревская пл., 12
(м. «Сухаревская»,ТЦ «Садовая галерея»). Тел. 937-85-81.
Информация о других магазинах «Новый книжный» по тел. 780-58-81.

В Санкт-Петербурге в сети магазинов «Буквоед»:
«Книжный супермаркет» на Загородном, д. 35. Тел. (812) 312-67-34
и «Магазин на Невском», д. 13. Тел. (812) 310-22-44.

Полный ассортимент книг издательства «Эксмо»:
В Санкт-Петербурге: ООО СЗКО, пр-т Обуховской Обороны, д. 84Е.
Тел. отдела реализации (812) 265-44-80/81/82/83.
В Нижнем Новгороде: ООО ТД «Эксмо НН», ул. Маршала Воронова, д. 3.
Тел. (8312) 72-36-70.
В Казани: ООО «НКП Казань», ул. Фрезерная, д. 5. Тел. (8432) 78-48-66.
В Киеве: ООО ДЦ «Эксмо-Украина», ул. Луговая, д. 9.
Тел. (044) 531-42-54, факс 419-97-49; e-mail: **sale@eksmo.com.ua**

Подписано в печать 17.02.2005.
Формат 84×108 $^1/_{32}$. Печать офсетная. Бумага тип. Усл. печ. л. 12,6.
Тираж 25 100 экз. Заказ № 6321

Отпечатано в полном соответствии
с качеством предоставленных диапозитивов
в ОАО «Можайский полиграфический комбинат».
143200, г. Можайск, ул. Мира, 93.